nuevos territorios
new territories

nuevos paisajes
new landscapes

EXPOSICIÓN. EXHIBITION

Comisariado y diseño
Curatorship and design
Eduard Bru

Comisariado MACBA
MACBA curatorship
Xavier Costa

Coordinación. Coordination
Eva Mur
Suzanne Strum

Colaboradores. Collaborators
Germán Adell
Alessandra Dini
Ellen Monchen

Proyecto fotográfico
Photographic project
Jordi Bernadó
Ramon Prat

Diseño gráfico. Graphic design
David Lorente

Montaje. Execution
Calidoscopi

Transporte. Transportation
Manterola División Arte, SA

Restauración e informe técnico de conservación.
Restoration and conservation technical report
Sílvia Noguer
Xavier Rossell

CATÁLOGO. CATALOGUE

Coordinación. Coordination
Susana Landrove

Diseño gráfico. Graphic Design
Ramon Prat
Rosa Lladó

Traducción. Translation
Isabel Núñez
Elaine Fradley
Dolors Senserich

Fotografías. Photographs
Jordi Bernadó
p.20, 21, 32, 35, 59, 60, 61, 62, 72, 73, 86, 87, 90, 96, 97, 98, 99, 100, 101, 106, 114, 115, 121, 122, 123, 124, 125, 130, 131, 132, 133, 139, 140, 141, 149, 150, 151, 152, 153, 159, 162, 163, 167, 169

Ramon Prat
p. 26, 27, 33, 52, 53, 63, 67, 71, 83, 85, 88, 89, 91, 95, 107, 113, 117, 120, 126, 127, 134,135, 136, 137, 170, 171

Michel Denancé p. 30, 31

Vicente Guallart p. 58, 65

David Cardelús p. 66, 69

Shinkenchiku-sha Co Ltd p. 112

Nayoa Hatakeyama p. 148

Ferran Freixa p. 156

Juan de la Cruz Megías p. 157

Hisao Suzuki p. 158

Producción. Production
Font i Prat Ass.

Impresión. Printing
Ingoprint, SA

Distribución. Distribution
ACTAR
Cristina Lladó, Anna Tetas
Roca i Batlle 2-4. 08023 Barcelona
Tel +34.3.4187759
Fax +34.3.4186707
e-mail. arquitec@actar.es
www.actar.es

Editores. Publishers
Museu d'Art Contemporani de Barcelona
ACTAR

ISBN 84-89698-40-6
DL B-25364/87

Barcelona. Julio 1997. July 1997
Printed in Spain, European Union

AGRADECIMIENTOS. ACKNOWLEDGEMENTS:
Ayuntamiento de Bilbao
Établissement Public pour l'Aménagement de la Région de La Défense (EPAD)
Fondation Le Corbusier
Lan Ekintza, S.A. Bilbao
Palacio Euskalduna, Bilbao
Quaderns d'Arquitectura i Urbanisme
The Museum of Modern Art, New York

José Bernadí, Marc Coromina, Ricardo Cuebas, Linda Chenit, Mme Dall'Ava, Leslie van Duzer, Franc Fernández, Margarida Gibert, Julen Guimón, Nobuya Hatayama, Teruyuki Ishikawa, Miya Kotera, Thierry Louviot, Anna Magre, Jordi Mas, Cécile Naranjo, Yuko Oriyama, Toshimi Oriyama, Annemarie Rückauer, Francisco Salazar, Javier Salazar Rückauer, Lluís Sans, Catherine Spellman, Anna Tetas, Harm Tilman, Sanae Tomari,

y la colaboración de
and the collaboration of

The course of this decade has witnessed a far-reaching transformation of public space and its projects. The word landscape *has played an unprecedented role in this transformation, probably because this term expresses not only the ever-increasing ephemerality of places, but also models of scattered cities, the innovation of large formats and various scales of intervention, the loss of limits between architectural objects and their surroundings. The notion of landscape also implies that visual regimes become active agents in the creation of public spaces, with reference to some trajectories being taken by contemporary art.*

Ever since the sixties, art has displayed a growing interest in interventions on the territory, often understood as notations, as inscriptions on its surface. In other cases, land art has expressed an interest in ephemeral and intangible interventions, always characterized by their large dimensions. This approach to the territory covers a series of concerns present in some of the architectures included in this catalogue. The projects and works brought together here are witness to the confluence of contemporary art and the architecture which is more concerned with the territory and its surroundings. These are the areas of dialogue or tension between art and architecture which we want to investigate at the Museum.

Eduard Bru, curator of New Landscapes, New Territories, *has brought together the various phenomena and proposals facing us today and given them meaning, with Barcelona as both our viewpoint and our target. We would particularly like to express our thanks to the curator for his contribution, along with everyone who has taken part in producing the exhibition and this catalogue.*

Miquel Molins
Director, Museu d'Art Contemporani de Barcelona

A lo largo de esta década, se ha producido visiblemente una transformación de los espacios públicos y de los proyectos que los definen. En esta transformación, el término paisaje ha adquirido un protagonismo sin precedentes, seguramente porque este término expresa al mismo tiempo la condición cada vez más pasajera de los lugares, los modelos de ciudad difusa, la invocación de grandes formatos y de escalas diversas de intervención, la indefinición entre los objetos arquitectónicos y sus entornos. La noción de paisaje implica también que los regímenes visuales se convierten en agentes activos en la constitución de espacios públicos, en referencia a algunas trayectorias del arte contemporáneo.

Desde los años sesenta, el arte se ha interesado cada vez más por las intervenciones en el territorio, a menudo entendidas como notaciones, como inscripciones en su superficie. En algunos casos, el land art *ha producido por intervenciones efímeras o intangibles, pero siempre caracterizadas por sus grandes dimensiones. En esta aproximación al territorio se apuntan unas preocupaciones que podemos descubrir en algunas de las arquitecturas representadas en este catálogo. Por tanto, los proyectos y obras que se recogen aquí son testimonio de un ámbito de confluencia entre el arte contemporáneo y una arquitectura más preocupada por el territorio y por su relación con el entorno. Estos ámbitos de diálogo o de tensión entre el arte y la arquitectura son precisamente los que queremos investigar desde nuestro Museo.*

Eduard Bru, comisario de Nuevos Paisajes, nuevos territorios, *ha articulado la diversidad de fenómenos y propuestas que encontramos en la actualidad, y le ha dado sentido, con una mirada desde Barcelona y sobre Barcelona. Queremos agradecer de un modo especial su intervención, así como las aportaciones de todas las personas que han participado en la exposición y en el presente catálogo.*

Miquel Molins
Director, Museu d'Art Contemporani de Barcelona

The Long-Distance Gaze

EDUARD BRU

"There are no more streets in which to see ourselves, there are people everywhere and there is no-one, there are no more villages, just agglomerations; there are no more streets, there are motorways, cities are being wiped off the map... There are few things left, very few, the rarefaction of the present moment, of the simultaneity of oneself and the world, is making its presence felt more and more... And what can you do? Everything is different but that's the whole point; everything, you alone have to look, do you follow? Come with me, let's go together this springtime afternoon, come with me and stroll around the city;... let's watch the movement of the city through the panes of glass,... the shouts, the roar, the river, the sweetness that is spoken,... yes, listen to the trains, they're crossing Europe,... yes, listen to the void that's coming,... there is no more work, nor workers, come let us talk, even now, of life, it is the joy of life, of this ocean city, it will emerge there from the waters,... listen, look at her, she's coming, it is she who is coming, the ruin of the world, look, there she is, you know her, she's our sister, our twin, she's coming, hello, we, so young, smile at her, so beautiful, dressed in white leather, with her green eyes."

Marguerite Duras, Les yeux verts

Decisive changes come about when we change the way we look at things.
This is precisely what is happening now in what we could, for the moment, call the relations between architecture and landscape.
It is no longer a case of defending, and presenting here, architectures which pay heed to landscape, in a kind of exaltation of those forms which are committed to context and have been so numerous in recent decades.
It is becoming increasingly obvious that the division of roles to the artificial, that which is built –houses, cities–, and its hypothetical framework what is given, natural–, has lost its supposed stability. There are several reasons for this:
– the increasing artificiality of the entire physical environment, from urban to rural (practically all virgin territory included), trivializes the differentiation between the natural (by which we understand that which has not been manipulated) and the artificial, a common phenomenon in ancient cultures and settlements, such as those in the Mediterranean.
– given the transmutation of viewpoint, fast means of physical transport trivialize the notions of interiority and exteriority of a place, be it city or territory.
Fast road transport by motorway and the subsequent generalization of flight have changed the idea of time in our interpretation of the environment, and will continue to do so. Different interpretations of reality coexist, viewpoints multiply, giving rise to a progressive capacity for simultaneous interpretation of various planes of reality.
– New guidelines for interpreting reality are appearing at the same time, influenced by the new transportation and information systems.
The cinema showed us how to manipulate the time of interpretation, proposing alternative sequences to those strung together by the accepted notions of movement and time. Now, new means of representing reality are adding and increasing remoteness to all this, changing the stability of appearance regardless of its nature and using the possibilities of this manipulation to show any form of reality as construction.
– Finally, the extension of our conurbations has by far exceeded the placental basis of their origins, which sought their justification in a specific conception of the relationship between architecture, settlement and place. Cities have swamped their original geographical frameworks, and almost all are witnessing very different moments in their architecture-site relationships. Differing moments within the same city and similar ones in cities of extraordinarily distant origins and latitudes.

La mirada larga

EDUARD BRU

"Ya no hay calles donde verse, hay gente por todas partes y no hay nadie, ya no quedan pueblos, sólo aglomeraciones; ya no hay calles, hay autopistas, las ciudades se borran del suelo...Quedan muy pocas cosas, poquísimas, el enrarecimiento de la actualidad y de la simultaneidad de uno mismo y del mundo se hace sentir cada vez más...¿Y qué puedes hacer tú? Todo es distinto y sin embargo el truco está ahí; todo, tu solo tienes que mirar , ¿entiendes?.
Ven, ven, vayamos juntos esta tarde de primavera, ven, a pasear por la ciudad;...miremos el movimiento de la ciudad a través de los cristales,...los gritos, el estruendo, el río, la dulzura que se habla,...sí, escucha, los trenes, cruzan Europa,... sí, escucha este vacío que llega,...ya no hay trabajo, trabajadores tampoco, ven que hablemos, aún, de la vida, es la alegría de la vida, de esta ciudad del océano, de ahí saldrá de las aguas,...escucha, mírala, viene, ella es la que viene, la pérdida del mundo, mira, ahí está, la reconoces, es nuestra hermana, nuestra gemela, viene, hola, le sonreímos, tan jóvenes, tan bella, vestida de piel blanca, los ojos verdes."
Marguerite Duras, Les yeux verts

Los cambios decisivos se producen cuando cambia nuestra mirada sobre las cosas.
Eso mismo está ahora sucediendo en lo que podríamos llamar, tópica y provisionalmente, relaciones entre arquitectura y paisaje.
No se trata ya de defender, y presentar aquí, arquitecturas atentas al paisaje, en una suerte de mayoración de escala de las arquitecturas implicadas con el contexto, frecuentes en las penúltimas décadas.
Se hace progresivamente evidente que el reparto de papeles entre lo artificial, -lo construido-, esto es, la casa, la ciudad, y su supuesto marco, lo dado, lo natural, ha perdido su supuesta estabilidad. Sucede así por diversas causas:
– la creciente artificialización de todo el entorno físico, desde lo urbano a lo rural (prácticamente incluidos también los territorios vírgenes), banaliza la diferenciación entre lo natural (entendido como aquello no manipulado) y lo artificial, fenómeno común a culturas y asentamientos antiguos, como, por ejemplo, los mediterráneos.
– los grandes medios de transporte físico veloz trivializan las nociones de interioridad o exterioridad respecto a un lugar, ciudad o territorio, dada la opcionalidad de la transmutación del punto de vista.
Los desplazamientos rodados rápidos (autopistas) y la generalización de los vuelos aéreos, han alterado, y lo harán cada vez más, las pautas temporales de lectura del entorno. De la casi posible coincidencia en la percepción de realidades diversas desde puntos de vista opcionales y múltiples, se deriva una progresiva capacidad de lectura simultánea de diversos planos de realidad.
– aparecen nuevas pautas de lectura de la realidad, influidas por los nuevos medios tanto de transporte como de organización de la información.
El cine enseñó, ya, a manipular tiempos de lectura, proponiendo secuencias diversas a las engarzadas por las nociones consuetudinarias de desplazamiento y de tiempo. Los nuevos medios de representación de la realidad añaden a todo eso, y entre muchas otras aportaciones, un progresivo distanciamiento de la estabilidad de la apariencia, que se revela como perceptivamente alterable sea cual sea su naturaleza, mostrando, cualquier realidad como construcción.
Finalmente, la extensión de nuestras conurbaciones ha superado, con mucho, el ámbito placentario que les dio origen, aquél que las justificó desde una determinada propuesta de relación entre arquitectura, asentamiento y lugar. Las ciudades han desbordado

This new state of affairs not only invalidates the old conception of the built object as a figure against a background, it also brings a dose of relativity to bear in more up-to-date conceptions, such as proposals for the joint formalization of construction and landscape by traditional architecture alone.

The architecture of the Modern Movement also, with very few exceptions, took as its background things which were not of human construction. Backgrounds of differing qualities and expectations, of course, usually imbued with English "naturalism".

Vittorio Gregotti deals with this situation in Territorio de la arquitectura, *setting forward the place as an active part of the project. Yet the basis for such activity is always the subordination of the place –a beautiful though inert body– to the built object, which is conveniently arranged so as to structure, explain, organize, possess the site on which it is set.*

Given the vastness of Gregotti's undertaking, it is no wonder his works tend increasingly to the size and vain pretensions of the Great Wall of China. In an unpublished text, Josepa Bru writes that "...Ballard (Crash) *explains how the writer used to feel and declare himself to be someone who was capable of imposing order on reality, dissecting it and making it poetic –in short, explaining it, always claiming power over it.*

These days, conversely, his attitude has more and more in common with that of the scientist who, in the face of what he knows to be inapprehensible, can only try out experiments which merely account for tiny fragments, to serve as a makeshift basis for interpretations of contemporary reality...". Today, there are inverse trends which exist alongside pride in the object: trends which do not feel authorized to construct, to impose artifice, to break into the natural state of things, interventions which understand that attention to site requires disguise as that place, camouflage, disappearance.

Without going to either of these extremes, the fact is that it is now, when we no longer have pre-established scenarios or relationships of subordination between construction and place, object and background, that these categories, as I explained at the outset, have disappeared. This state of affairs has seen the emergence of different attitudes which I would classify into four main groups:

Infiltrations

These days we can understand the city by interpreting space and scale, as the experience of landscape and territory has taught us. Cities open up to the territory, the city is landscape in its own right.

The space shared by city and territory is not necessarily adjacent. Diller & Scofidio (p 50) summon it up virtually inside the closed object of their project, turning their backs on the real context to opt for the one they choose as their site.

In Chemetov's project, the idea of void and the interpretation of the geography on which the city is set are the ordering principle for the new Paris, extending the traditional L'Étoile-La Défense (p 70) axis beyond the "Arche".

In São Paulo, "void" is an extremely scarce commodity and one which Paulo Mendes da Rocha (p 28) offers his city by shrinking and submerging the volume of his museum. In this way he transmutes the fate of the assignment –an object, an opacity– into an empty (urban) space. As far back as post-war Berlin, the Smithsons set forward a new interpretation of the city on the basis of relations of dimension and scale in which the form of the open space played a determinant role. Such hopes were conclusively dashed by the pessimism and nostalgia of the reconstructivist solution which has now been adopted. There is no reason why infiltrations should take place at the "planning" stage. Recent constructions have called on areas which are quite remote from the urban environment for even the most domestic and city settings.

Peter & Alison Smithson
Concurso Berlín Hauptstadt
Berlin Hauptstadt competion

largamente, en efecto, sus primeros marcos geográficos y, casi todas ellas presentan episodios muy diferenciados en cuanto a la relación entre arquitectura y sitio. Episodios diversificados en el interior de una misma ciudad y, al tiempo, semejantes entre ciudades de orígenes y latitudes extraordinariamente alejados.

Ese nuevo estado de cosas ha destruido no tan solo la añeja concepción del objeto construido como figura sobre un fondo, sino que también relativiza a pasos agigantados las más aggiornadas *concepciones, como las propuestas de formalización conjunta de construcción y paisaje desde el exclusivo instrumental de la tradición arquitectónica.*

La arquitectura del Movimiento Moderno, con pocas excepciones, ha considerado también como fondo lo que no era construcción humana. Fondos de cualidades y expectativas diversas, naturalmente, por lo común teñidos de "naturalismo" inglés.

En el Territorio de la arquitectura, *Vittorio Gregotti hace frente a esa situación y propone el lugar como parte activa del proyecto. Esa actividad se produce siempre, sin embargo, desde el sometimiento del lugar, -cuerpo bello pero inerte-, al objeto construido, que se habrá organizado convenientemente para ser capaz de "estructurar", explicar, organizar, poseer, su lugar.*

Ante la inmensidad de la empresa gregottiana, no es de extrañar que sus obras tiendan más y más al tamaño, y a la pretensión fallida, de la Muralla de China. Refiere Josepa Bru en un texto inédito que "...Ballard (Crash) *explica como el escritor de antes se sentía y se mostraba como alguien capaz de poner orden a la realidad, dividiéndola, poetizándola, explicándola en fin, asumiendo siempre un poder sobre ella. Ahora, por el contrario, su actitud es cada vez más próxima a la del científico que frente a esa realidad, que sabe inaprehensible, solo puede ensayar experimentos capaces de dar cuenta de pequeños fragmentos en los que asentar, provisionalmente, interpretaciones de la realidad contemporánea..."*

En paralelo al orgullo objetual, existen hoy corrientes inversas: aquellas que se no consideran autorizadas a la construcción, al artificio, a irrumpir en el estado "natural "de las cosas, intervenciones que entienden que atender al lugar es disfrazarse de él mismo, camuflarse, desaparecer. El hecho es que, más allá de uno u otro extremo, es ahora, en los años presentes, cuando no hay ya guiones previos ni subordinaciones entre construcción y lugar, entre objeto y "fondo", pues esas categorías, por razones como las apuntadas en el inicio, han desaparecido.

En ese estado de cosas han aparecido diversas actitudes que considero presentables en cuatro grandes agrupaciones:

Infiltraciones

La ciudad puede ser ahora entendida desde lecturas del espacio y de la escala aprendidas de la experiencia del paisaje y del territorio. Así, las ciudades se abren al territorio, la ciudad es paisaje de si misma.

No es siempre preciso que el espacio compartido por ciudad y territorio sea contiguo. Diller & Scofidio lo convocan virtualmente en el interior del objeto cerrado que es su proyecto, renunciando al contexto real para seleccionar aquel en el que quieren emplazarse.

La idea de vacío y la lectura de la geografía sobre la que se asienta la ciudad reemplazan como principio ordenador, en el proyecto de Chemetov para el nuevo París que se extiende más allá de L'Arche, al tradicional eje de L'Etoile-La Défense.

El vacío es en Sao Paulo un bien extraordinariamente escaso que Paulo Mendes da Rocha ofrece a su ciudad, a costa de que el volumen de su Museo se encoja y se entierre. Transmuta así el destino del encargo, un objeto, una opacidad, en un espacio vacío (urbano).

Los Smithson propusieron ya para el Berlín de la postguerra una nueva lectura de la ciudad desde relaciones dimensionales y escalares en las que la forma de lo abierto es determinante. Expectativas definitivamente frustradas por la solución reconstructiva, pesimista y nostálgica, ahora adoptada.

Las infiltraciones no tienen porqué producirse desde el planeamiento. Construcciones recientes convocan, también para lo más doméstico y ciudadano, ámbitos muy alejados de lo urbano.

Landmarks

In almost completely opposite strategies to the latter examples, theoretically urban forms of architecture are referred to territorial-scale phenomena, taking the urban beyond what we traditionally understand by city.

In Bilbao, the operations currently under way around the estuary aim to be both urban and territorial references at the same time. *(p 84)*

Le Corbusier proposed the same height for his skyscrapers on Barcelona's sea front as Montjuïc, Barcelona's hill that descends into the sea: 160 metres –or 50 floors. This image, along with Rubió i Tudurí's practically contemporary reflections and Hans Kollhoff's project for the continuation of Barcelona's Diagonal, *(p 94)* *is one of the few examples in Barcelona of large-scale strategies which explicitly take into account.*

Recent interventions in Paris retum to an old, long-lasting dialogue between the city and its territory which Starck-Nouvel managed to export to the Opera House in Tokyo.

But the built object does not necessarily require large scale to define it and give it a point of reference in relation to its territory.

The Beistegui penthouse apartment is one example; using its periscope and the height of its selective balustrade, it takes as reference its preferred Parisian objects. On a smaller scale, this is exactly the same operation as the Plan Voisin; it eliminates any built objects which are of no interest to it, setting its sights on the territory and its singular architecture as a whole. The ground floor of the Ville Savoie takes its form from the turning circle of the cars which turned round there to speed back to Paris after visiting it. It is also Beistegui's Paris that we now see when swimming obsessive lengths of the pool on the roof of Koolhaas' villa Dall'Ava, *(p 60)* *which picks up as yet incomplete proposals of what some hasty commentators would call the worn-out Modern Movement. The nature of landmark is also a recurrent strategy for giving form to the public constructions emerging beyond the city, fed by the great communication infraestructures.*

Mecanismo para relacionar un pequeño interior con la escala del paisaje
Mechanism to relate a small interior to the scale of the landscape

Vincenzo Baviera
Observatorio de la ciudad
City observatory

Vincenzo Baviera,
Rampa 2
Ramp 2

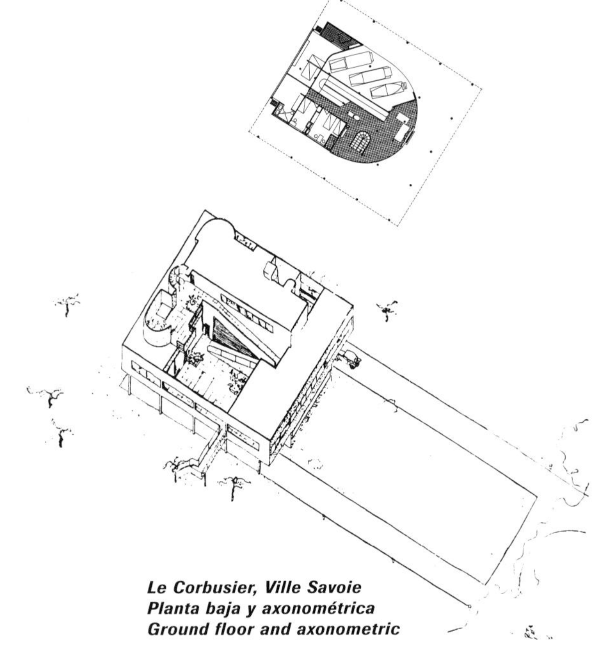

Le Corbusier, Ville Savoie
Planta baja y axonométrica
Ground floor and axonometric

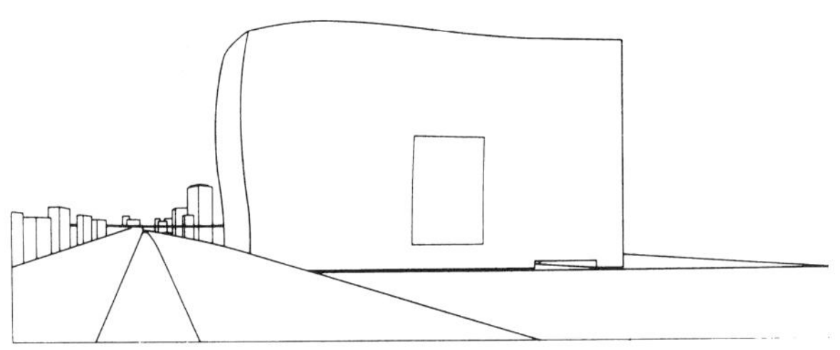

Jean Nouvel & Philipe Starck
Ópera de Tokio
Tokio Opera House

Hitos

En estrategias casi inversas a las del grupo anterior, arquitecturas en principio urbanas, remiten a fenómenos de dimensión territorial, exportando así lo urbano más allá de lo que convencionalmente entendíamos por ciudad.

En Bilbao, las intervenciones en curso junto a la ría quieren ser una referencia urbana y, a la vez, territorial.

Le Corbusier propuso para sus rascacielos en el frente marítimo de Barcelona la misma altura que tiene Montjuïc, la colina barcelonesa que muere en la costa: 160 m., esto es, 50 plantas. Esa imágen, las reflexiones prácticamente coetáneas de Rubió i Tudurí, y la propuesta de Hans Kollhoff para la continuación de la Diagonal de Barcelona, son de los pocos ejemplos en Barcelona de estrategias a gran escala con consideración explícita de la forma. En París las intervenciones recientes retoman un antiguo y largo diálogo entre la ciudad y su territorio., que Stark-Nouvel procuraron exportar a Iha Ópera de Tokio. Sin embargo no es ineludible la gran escala del objeto construido para referirlo, y definirlo, en relación a su territorio.

Es el caso del ático Beistegui, que se refiere, desde su periscopio y la altura de su baranda selectiva, a los objetos del todo París que prefiere: hace exactamente la misma operación, desde su pequeñez, que el entero Plan Voisin; elimina aquello que no le interesa de lo construido, y mira sólo, y conjuntamente, el territorio y sus arquitecturas singulares.

La planta baja de la Ville Savoie tomó su forma del radio de giro que habrían de describir los coches para rectificar su dirección y volver veloces a París después de visitarla. Es el mismo París de Beistegui el que vemos ahora al ejecutar largos obsesivos en la piscina de la cubierta de la Villa Dall'Ava de Koolhaas, que retoma así propuestas aún por culminar del, -para algunos precipitados-, supuestamente liquidado Movimiento Moderno.

El carácter de hito es por lo demás, una estrategia recurrente para dar forma a las emergentes construcciones públicas más allá de la ciudad, alimentadas por las grandes infraestructuras de comunicación.

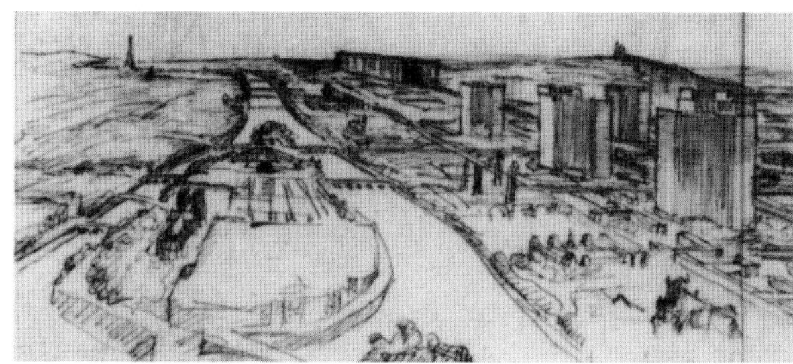

Le Corbusier, Pla Macià, Barcelona, 1933
Le Corbusier, Plan Voisin, Paris 1925

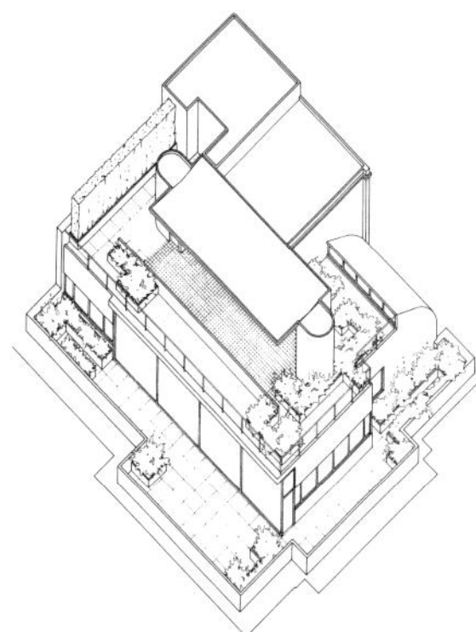

Le Corbusier
Ático Beistegui, Axonométrica, Junio 1929
Beistegui Penthouse, June 1929

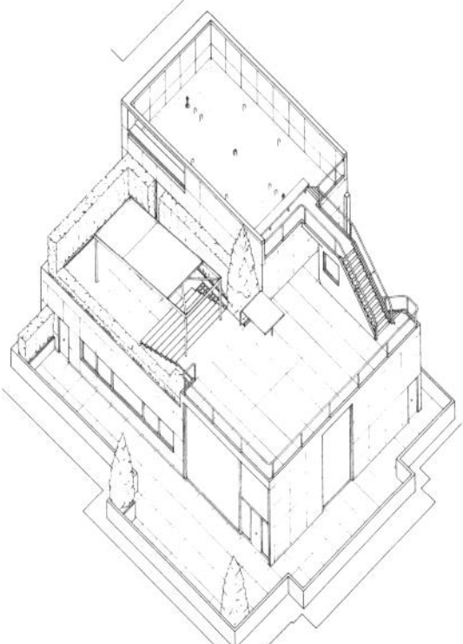

Enero 1930
January1930

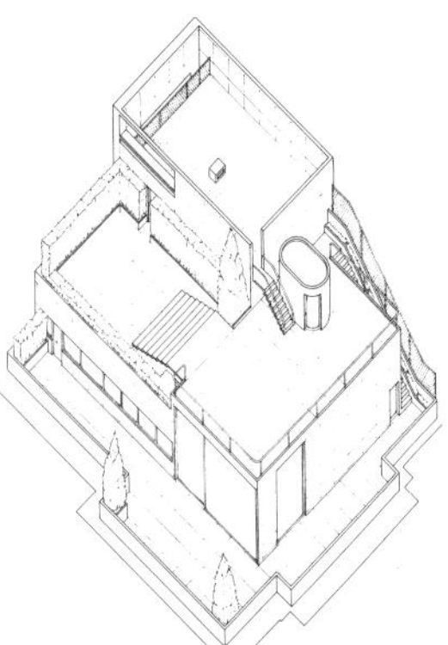

Mayo 1930
May 1930

El progreso del proyecto del ático Beistegui se corresponde con el de la pérdida de su masa construida: se despoja de elementos interiores para referirse progresivamente a lo que está más allá de su recinto.
The Beistegui Penthouse project undergoes transformations that correspond to the loss of its built mass: its interior elements are progressively stripped to refer to what is beyond its precinct.

Borders

In the case of other forms of architecture, the aim is precisely to lay down the borders in what some see as the inevitable permeability between city and territory, architectures which set themselves up against the exaltation of dispersion and the urban and territorial continuum. These borders often take the form of natural leitmotifs: along the fracture, or contrast, between two geographies; between two natural elements, water and earth. (p 128-136)

If the first two options on our list can be seen as two ways of giving form to an overall sense of territorial development, two strategies for formalizing the global city, this response comes to affirm the local city (self-reliant, città de vilaggi), *to possibly achieve a more contrasted globality or to shut itself away in the village. It is not just the natural/artificial, built/empty, city/territory tensions which produce borders. In the patchwork so often found in today's cities, we can also discover borders between various types of occupation, activity or formalization. Kazuyo Sejima's (p 122) work on the Japanese city stresses patient work on detecting these points to determine city form.*

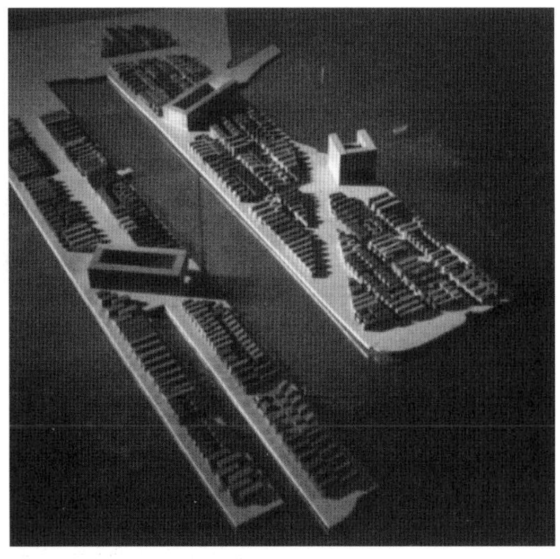

West 8 Landscape Architects
Plan para Borneo Sporenburg, Amsterdam
Borneo Sporenburg Plan, Amsterdam

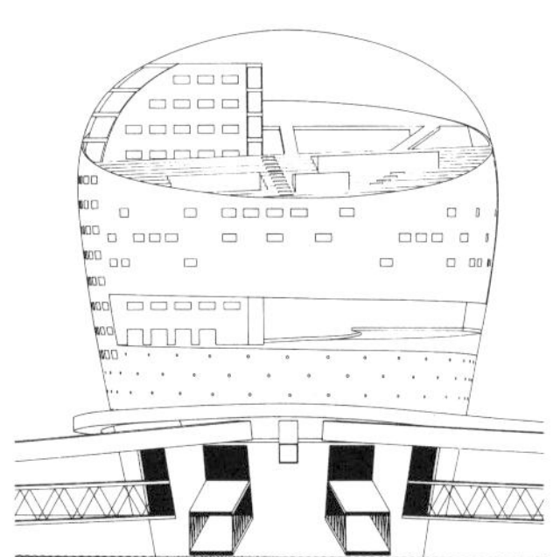

OMA
Concurso para la Terminal Portuaria de Zeebrugge
Zeebrugge Port Terminal competition

Fronteras

Para otras arquitecturas el objetivo es precisamente determinar fronteras en lo que para otros es la inevitable permeabilidad entre ciudad y territorio, arquitecturas posicionadas pues en frente de los celebradores de la dispersión y del continuum urbano-territorial. Son fronteras que se constituyen a menudo con el leitmotif de la naturaleza: entre la fractura, o el contraste, de dos geografías; entre dos elementos naturales, agua y tierra...

Si las dos opciones anteriores pueden leerse como dos modos de dar forma a un sentido globalizador de la urbanización del territorio, dos estrategias de formalización de la ciudad global, la presente respuesta puede afirmar la ciudad local (self-reliant, città de vilaggi), *para alcanzar quizá una globalidad más contrastada o para recluirse en la aldea....*

No tan solo las fronteras pueden determinarse entre la tensión entre natural/artificial, construido/vacío, ciudad/territorio.

En el patchwork *que la ciudad actual es con frecuencia, pueden descubrirse también fronteras entre diversos modos de ocupación, o de actividad, o de formalización. El trabajo sobre la ciudad japonesa de Kazuyo Sejima insiste en detectar con paciencia esos puntos, para determinar desde ellos la forma.*

Philipe Gazeau
Viviendas en París
Housing in Paris

Ricardo Sánchez Lampreave
Viviendas sociales, Madrid
Social housing, Madrid

Herzog & de Meuron
Edificio de señalización de la estación de Basilea
Basel Station signal box

Interior landscapes

We can now see the building, as an interior space, from the viewpoint of what we aprehend in other fields, rather than being bound by mere sterile "disciplinary autonomy". from what we have learnt, for example, about forms of communication unconnected to architecture. And what we have learnt about the "exterior": about the relationship between the place and the landscape and its relations with objects and things. These are buildings, then, which are set forward as episodes of landscape, with the vociferous precedents of Scharoum's Library in Berlín and Le Corbusier's capitol in Chandigarh. Walls which mark out a place where the incidents of the ground plan are accidents of that landscape.

A forest of columns with trees in which information flows are the sap (Ito) (p 148) ; a Parisian garden precariously closed in to be air-conditioned (Nouvel) (p 150) ; common spaces for libraries, for politics, for entertainment (Torres Nadal (p 160), Koolhaas, Zenghelis and Gigantes) in the form of covered streets where buildings form the furnishings.

Constructions which can abound, as Jochem Schneider says right here, in the tyranny of intimacy, with the disappearance of the public realm. But maybe, as Schneider also says, in other forms of survival of the public realm, in a potential conception of the private as part of a more general scope, as an explicit part of the city, as an actual part of the territory.

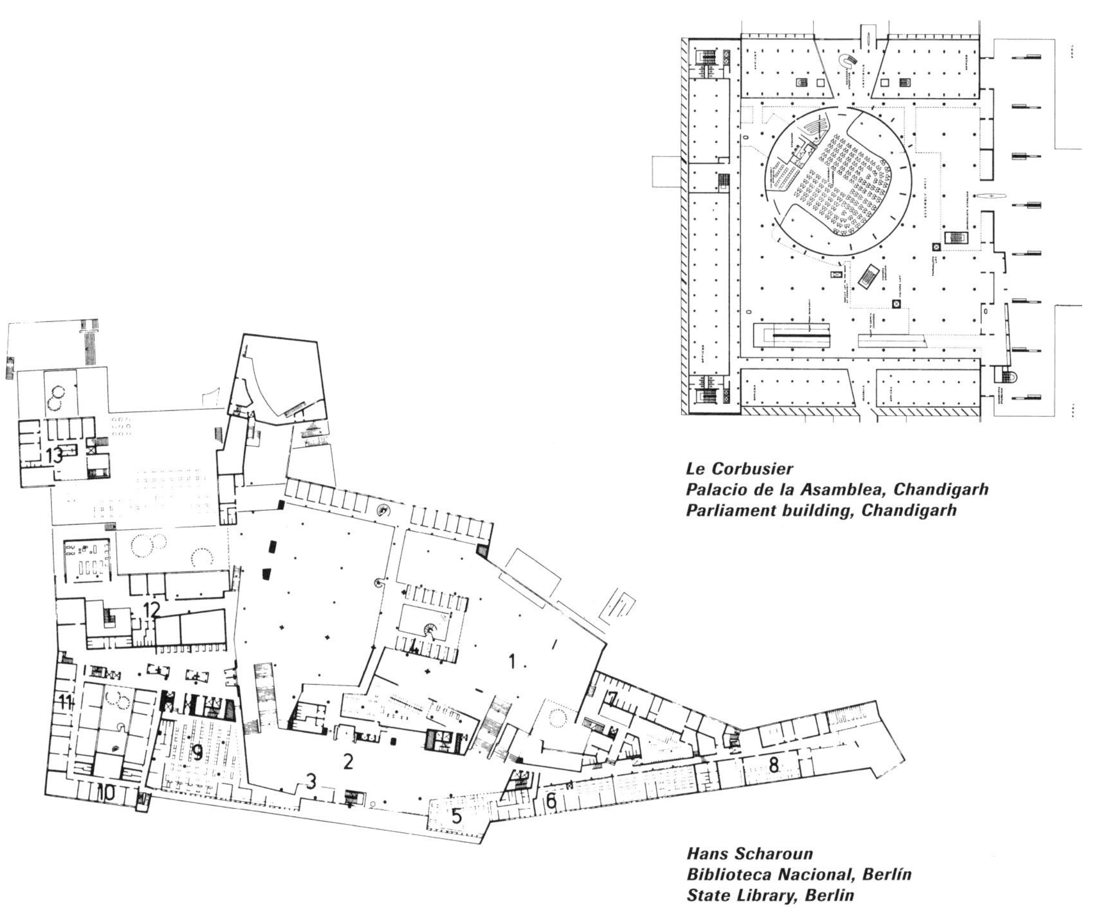

Le Corbusier
Palacio de la Asamblea, Chandigarh
Parliament building, Chandigarh

Hans Scharoun
Biblioteca Nacional, Berlín
State Library, Berlin

Paisajes interiores

El edificio, en tanto que espacio interior, puede leerse ahora desde lo aprehendido en otros ámbitos, lejos de cualquier estéril "autonomía disciplinar". Desde lo aprehendido por ejemplo en formas de comunicación distintas a la arquitectura. Desde lo aprehendido también del "exterior": de la relación entre el lugar o el paisaje y de sus relaciones con los objetos y las cosas.
Se trata de edificios, pues, que se proponen como episodios de paisaje, con los precedentes clamorosos de la Biblioteca de Berlín de Scharoun y el Palacio de Chandigarh de Le Corbusier. Cerramientos que determinan un lugar en el que las peripecias de la planta son accidentes de ese paisaje.
Un bosque de pilares con árboles cuya salvia son los fluidos de información (Ito); un jardín parisino cerrado precariamente para poder ser climatizado (Nouvel); espacios comunes para bibliotecas, para la política, para el entretenimiento (Torres Nadal, Koolhaas, Zenghelis, Gigantes) resueltos como calles a cubierto, cuyos edificios son el mobiliario.
Construcciones que pueden abundar, como escribe aquí mismo Jochem Schneider, en la tiranía de la intimidad, en la desaparición de lo público. Pero quizá, como también apunta Schneider, en otras formas de pervivencia de lo público, en una posible concepción de lo privado como parte de un ámbito más general, como parte explícita de la ciudad, como parte misma del territorio.

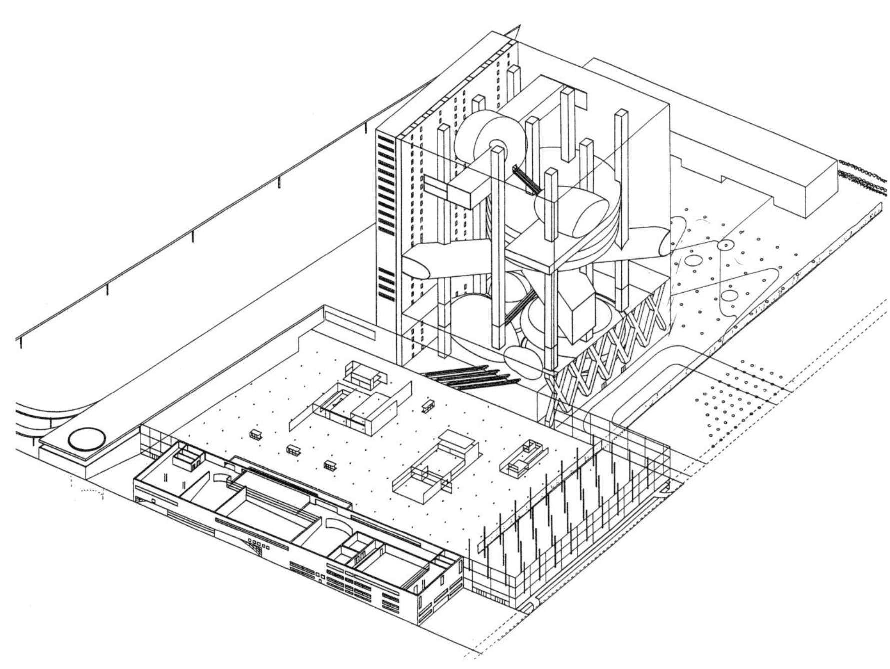

OMA
Concurso para la Bibliothèque Nationale, Axonométrica
Bibliothèque Nationale competition, Axonometric

Barcelona

The traditional, physical space of Barcelona, its sloping coastal plain, has come to an end with the latest medium-scale operations. The model for city transformation between the late seventies and the eighties progressed along the same lines as the dimensions of assignments: from lesser to greater.

The key option was to keep close to reality, setting up right next to problems and opportunities, with neither the time nor the confidence to take a "long-distance gaze". The overall problem would be solved by mastering its particular manifestations. "Metastasis" –a bold metaphor, liberally brandished by those responsible for the operation– is not known for its premeditation.

For its speed and efficiency, yes.

Yet those public squares in places which the city had always avoided, those streets on the disorganized outskirts –undoubtedly contributing to a substantial improvement in urban tone– had to earn their own place in the order of things.

In a problematic environment with no precise overall brief, the usual response took the form of ornament and decoration. Projects relied heavily on design and furnishings to draw out the limits of the oasis and stand up to the city around them: idyllic parks amidst motorways and electricity pylons; romantic bowers in "squares" made up of party walls and remnants of city. Few took the option of looking from the project at the inextricable appearance of reality. Less with a view to short-term embellishment as to understanding and explaining the situation so as to invite action and thereby make it possible.

Metastasis is possible when there is a body which provides a basic structure, no matter how damaged it is.

This was the case as long as we were faced with the old Barcelona scenario, which we have since filled. It is not the case of the new territories which the city is now occupying.

It is important that we relinquish the guerrilla tactics we have fallen into. The new Barcelona has no pre-existing order to complete, embellish or negate. There is no body to undergo metastasis and the only paralysed State to upset is the one that we are under the obligation of organizing ourselves. Sometimes surreptitiously, sometimes ringing with applause, the new communications infrastructure –with its stations and major service apparatus– is applying its self-centred, partial logic to these guidelines. Meanwhile –now in the absence of the political context which made room for coordinated reflection and action which were mindful of scale–, every intervention, every public square, every rambla, every facility, is decided on according to particular administrative divisions.

But it is a new place, a new landscape, common to everyone, that we are occupying: the rivers, what remains of the sea front, the other side of Collserola, El Vallès.

We have situations which are comparable to all those dealt with by the projects, ideas and constructions discussed here.

Today, there is no call for our individual responses.

Barcelona en su paisaje.

El espacio físico tradicional de Barcelona, el plano inclinado litoral, se ha agotado con las últimas operaciones a media escala.

El modelo de transformación de la ciudad de finales de los años setenta a los años ochenta, fue el mismo que el de la progresión de las dimensiones de los encargos: de menor a mayor.

La opción clave fue pegarse a la realidad, situarse extremadamente cerca a los problemas y a las oportunidades, sin tiempo ni confianza para una "mirada larga". El problema global se resolvería desde el dominio de sus manifestaciones particulares. La "metástasis", -metáfora arriesgada, ampliamente utilizada por los responsables máximos de la operación-, no se caracteriza, claro está, por su premeditación. Sí lo hace por su velocidad y eficacia.

Sin embargo esas plazas ubicadas en lugares que la ciudad había evitado, esas calles en la periferia desorganizada, -que colaboraron sin duda a una mejora sustancial del tono urbano-, debieron ganarse por si solas su lugar entre las cosas.

En un entorno problemático y sin programa global preciso, la respuesta habitual fue el ornato y el decoro. Los proyectos pusieron un énfasis extraordinario en el diseño y en el mobiliario para marcar los límites del oasis y resistir a la ciudad que los envuelvía: parques idílicos en medio de tramas de autopistas y líneas de alta tensión; glorietas románticas en "plazas" hechas de medianerías y retazos de ciudad. Pocos decidieron mirar desde el proyecto la realidad de apariencia inextricable. No tanto embellecer a corto plazo, como entender y explicar la situación para invitar y posibilitar, así, la acción...

Las metástasis son posibles porque hay un cuerpo que aporta una estructura básica, por maltrecha que esta sea. Así fue mientras existió el escenario habitual de Barcelona, que hemos colmado. No lo es en los nuevos territorios que la ciudad está ocupando ya.

Importa sobremanera abandonar la estrategia guerrillera a la que nos hemos habituado. En la nueva Barcelona no hay orden previo que completar, embellecer, o negar. No hay cuerpo que soporte la metástasis, no hay Estado anquilosado que inquietar, más que el que nosotros mismos estamos en la obligación de organizar. Subrepticiamente, a veces, con aplauso otras, el aparato infraestructural de las nuevas comunicaciones -con sus estaciones y grandes aparatos de servicios, además-, está ocupando esos papeles rectores desde su lógica ensimismada y parcial. Mientras, -desaparecidas las instancias políticas que podían permitir una reflexión y acción coordinadas y con conciencia de escala-, cada intervención, cada plaza, cada rambla, cada equipamiento, se decide en función de recintos administrativos particulares.

Pero es un nuevo lugar, un nuevo paisaje, común a todos, el que estamos ocupando: los ríos, lo que queda del frente al mar, la otra cara del Collserola, el Vallés.

Tenemos situaciones equiparables a todas a las que los proyectos ideas y construcciones que aquí se exponen afrontan.

No podemos, hoy, presentar respuestas propias.

Nuevos territorios en Barcelona
New Territories in Barcelona

Conclusion

"Public space has changed and landscape is a kind of annotation" *Jochem Schneider*

What better way to sum up the question?

We could say that annotation emerged in the sixties, using supposedly immanent, exclusive elements of language of and for architecture. These then existed alongside two forms of annotation, one decidedly neo-classic, the other supposedly comprising elements of everything that is common, everyday and trivial. Finally, they tell us that annotation is impossible and that architecture has to go back to basics in attesting to the unfeasibility of language.

Nonetheless, I believe that much of the potential of annotation and language which was implicit in the Modern Movement has yet to be developed. I also believe that the new relations of use, scale and environment to place will encourage the development and growth of that potential, and create more. These two expectations are the justification for this exhibition.

We attempt to codify this situation using different means: "empty spaces" (Herzog, R. Koolhaas, E. Bru), "containers and flows" (I. de Solà-Morales), "bigness" (R. Koolhaas), "Citylandscapes and Cityscapes" (Biegel), the "Grossstadt" *(M. Zardini), the* "hyperville" *(A. Corboz), "the arrogant overview" (S. Boeri)... There is no objection to these useful attempts on a rational plot to reveal what is really going on. But there is nothing more specific in the present situation than its openness, nothing more productive –and difficult– than the impossibility of determining it.*

Landscaping –by which we understand "landscape architecture"– should be a new way of looking at things. Architects, do not despair. This is no new "discipline" –quite the opposite: it is strictly architecture. Just architecture.

So the debate between partisans of the "right to self-determination" of the landscape and those who consider it a colony of architecture is shown to be false.

Landscape, as we interpret it, has nothing to do with scale, it is not necessarily the architecture of large, or empty, or open, or green spaces, neither is it scientific control of the possible damage which can be caused by large constructions. It may originally have been defined more or less as such, but it has crystallized into architecture. Architecture which is characterized by:

– attending as much to what there is between things as to things themselves: as a result, public space –your living room at home, a public square, a terrace– is frequently its object.

– highlighting variability and change –learnt during large-scale experiences but applicable to many others–, thus pointing up the overall design of objects rather than creating mere items of curiosity.

– facilitating the action of the project as a commitment between scales, the awareness that the project is resolved and influences so many fields beyond those which are available to it by simple physical proximity. It turns the action of the designer into an ability to move, to travel between scales.

We have called this exhibition New landscapes, new territories. *We are, now, capable of understanding and sensing very different scales and fields of perception and action at the same time.*

Yet the things I touch, the obstacles I avoid, the paths I select, are still those which my body and senses, as yet unchanged, allow me to choose.

Acting on what is close at hand, immediate and tactile, at the same time understanding many other containers and dimensions which we also alter with our actions, provides us with a good working brief for the coming years.

Conclusión

"El espacio público ha cambiado y el paisaje es una forma de notación" (J. Schneider). Difícilmente podría resumirse mejor lo que aquí se trata. Pudiera decirse que la notación se hizo en los años sesenta desde elementos de lenguaje supuestamente inmanentes y exclusivos, de, y para la arquitectura. Convivieron después con la notación decididamente neoclásica y también con la pretendidamente establecida desde elementos de "lo vulgar", lo cotidiano, o lo trivial. Finalmente, se nos dice que la notación es imposible y que la arquitectura debe mostrar un des-compuesto testimonio de la inviabilidad del lenguaje.

Creo, sin embargo, que muchas posibilidades de notación, de lenguaje, implícitas en el Movimiento Moderno están aún por desarrollar.

Creo también que las nuevas relaciones de uso, escalares y ambientales en relación al lugar posibilitan el desarrollo de aquellas potencialidades, y establecen, además, otras nuevas. Estas dos expectativas justifican esta exposición.

Se intenta codificar nuestra situación según diversos modos: los vacíos (Herzog, Koolhaas, Bru) los contenedores y flujos (I. Solà-Morales), el bigness *(Koolhaas), las* Citylandscapes *y* Cityscopes *(Beigel), la* Grossstadt *(Zardini), la* hiperville *(Corbosz), la* arrogancia zenital *(Boeri)...Nada que objetar a esos útiles esfuerzos de la razón para revelar la trama de la acción. Pero nada hay de más específico en este presente que su carácter abierto, nada más fructífero, y difícil, que la imposibilidad de fijarlo.*

El Landscape *(entendemos por tal aquí la llamada "arquitectura del paisaje") debiera ser una nueva manera de mirar las cosas. Arquitectos, no preocuparos. No se trata de una nueva "disciplina". Muy al contrario: es estrictamente arquitectura. Nada más que arquitectura.*

Así la discusión entre los partidarios del "derecho de autodeterminación" del paisaje y los que lo consideran una colonia de la arquitectura se revela falsa.

El Landscape, *tal como lo queremos ver aquí, no tiene relación con la escala, no es necesariamente la arquitectura de los espacios grandes, o vacíos, o abiertos, o "verdes", ni tampoco el control cientifista de los posibles estropicios que pueden causar les grandes construcciones. Pudo definirse en un principio aproximadamente así, pero ha cristalizado en arquitectura. Una arquitectura que se caracteriza por:*

– atender tanto a lo que está entre las cosas como a las cosas en sí mismas: el espacio público, -un salón doméstico, una plaza, una terraza-, es, por tanto con frecuencia su objeto .

– constatar la variabilidad, el cambio, -aprendido, sí, desde experiencias de gran escala pero extrapolable a otras muchas-, como constituyente de la arquitectura. Más énfasis, por consiguiente, en el diseño finalista de objetos que en la configuración de definitivos bibelots.

– la acción del proyecto como compromiso entre escalas. La conciencia de que el proyecto se determina e influye en multitud de ámbitos más allá de los que se le otorgan por razón de mera contigüidad física. La consideración de la labor del proyectista como capacidad de traslación, de viaje, entre escalas.

Llamamos a esta exposición, Nuevos paisajes, nuevas arquitecturas. *En efecto ahora somos capaces de entender y sentir, simultáneamente, muy diversas escalas y ámbitos de percepción y acción. Pero lo que toco, los obstáculos que evito, los caminos que elijo, siguen siendo los que permiten mi cuerpo y mis sentidos, por el momento inalterados.*

Actuar sobre lo próximo, lo inmediato y lo táctil, y entender al tiempo muchos otros receptáculos y dimensiones que modifico también con mi acción, es un buen programa de trabajo para los próximos años.

RENAISSANCE

infiltrations

The site of the project by Chemetov and Huidobro, the gardens of the Grand Axe, seen from La Grande Arche

The reader confronts a split, unconnected text and an unfinished dialogue.

To carry out an archaeology of the dialogues and aporiae of the look or the reading –highly ephemeral, radically historic, passages–, to reconstruct from them a path which can connect necessary dichotomies –architecture/landscape, culture/nature, figure/background– is a well-meaning exercise in nostalgia, a useless preciocity. To preserve the space and the distance between these two columns, between two objects confronted by the reciprocity of their looks is, perhaps, to fill its emptiness and make it disappear.

Or, rather: let´s pretend that the original and originating coincidences (finally: identities) of the dualities which are essential for a language of the figure and the background, the landscape and the architecture and the subject and the object appear to be nothing more than the phantasmal leftovers of an imaginary spectator who draws plans, takes photographs, gives names and does not exist, and let us look for others.(the others)

The reader, the spectator, not imaginary, real, lived, infinite in number, finites in experience, involved. The sole witnesses to this poesy of the look and the route, halfway between architecture and landscape, the figure and the background. Like the title of a work by Richard Serra, "Different and Different Again".

In a pioneering article in the rereading of recent experience in sculpture, Sculpture in the Expanded Field, *Rossalind Krauss uses the structural radicalism of a Klein group to explain the directionalities and interdependencies of landscape and architecture, directionalities read as negative photographs of minimalist site-constructions, directionalities which become one possibility amongst many, an option which does not reveal any natural structure.*

infiltraciones

El emplazamiento del proyecto de Chemetov y Huidobro, los jardines del Grand Axe, visto desde La Grande Arche

La lectora o el lector se enfrenta a un texto dividido, desvinculado, a un diálogo inacabado.

Construir una arqueología de los diálogos y aporías de la mirada, o la lectura –paisajes forzosamente efímeros: radicalmente históricos–, reconstruir un recorrido capaz de conectar dicotomías necesarias –arquitectura / paisaje, cultura / naturaleza, figura / fondo– es un ejercicio de nostalgia bienintencionada, preciosa e inútil. Preservar el espacio, la distancia entre estas dos columnas, entre dos objetos que se enfrentan a la reciprocidad de sus miradas, significa tal vez llenar el vacío y hacerlo desaparecer.

O bien: simulemos que las casualidades (en definitiva, las identidades) originarias y originadoras de las dualidades esenciales para un lenguaje de la figura y el fondo, del paisaje y la arquitectura, del sujeto y el objeto, sólo son los desechos fantasmáticos de un espectador imaginario que dibuja planos, hace fotos, pone nombres, pero no existe.

Y busquemos a los demás

La lectora y el lector, el espectador y la espectadora no imaginarios, reales, vividos, infinitos en nombre, finitos en experiencias, implicados. Los únicos testimonios de esta poética de la mirada y el recorrido, a medio camino entre la arquitectura y el paisaje, la figura y el fondo. Como el título de una obra de Richard Serra, Different and Different Again.

En un artículo pionero respecto a la relectura de la experiencia escultórica reciente, Sculpture in the Expanded Field, Rosalind Krauss utiliza el estructuralismo radical del grupo Klein para explicar las direccionalidades e interdependencias del paisaje y la arquitectura, direccionalidades leídas como fotografías en negativo de site-constructions *minimalistas, direccionalidades convertidas en una posibilidad entre muchas, una opción que no revela ninguna estructura natural.*

The consistency of the Krauss framework is fascinating and illusory. The terms could be inverted and the structure would continue to be perfect. Architecture and landscape elude each other, contraries in the logic the Klein group proposes. The existence of a hybrid space, impossible to locate in the familiarity of little-questioned historic concepts entails no movement of dislocation, no discontinuity. Space, however, in the words of Mark Wigley, "is always an effect of discourse", of the dialogue entailed in discourse. The anthology of the event, in its non-pertinence to the domestic or domesticable space, emerges in each of the projects approached.

The constant translation between ambiances which maintain a dialectic relationship demands the constant redefining of terms, a redefinition which, far from destroying them, makes active use of them. Concepts become parts of an unfinished process: to defamiliarise the dichotomy, open it to the non-space of otherness, it is to put to one side games of substitution to begin a displacement, converted into the loss of direction.

To speak of landscape is to speak of the displacement of architecture, an effect which the gaze articulates: the invisible architecture of the landscape is the phantom which emerges in each of the projects. Discovering or inventing this invisible architecture becomes, perforce, a mutual affair: the space of architecture is always articulated with reference to the non-space of the landscape, the landscape becomes a reflection of an otherness inherent in architecture itself. The landscape is architecture, but the architecture cannot exist without the landscape.

In a place south of Leipzig, ruined by coal-mining, Florian Beigel is putting into practise a strategy for the long-term recovery of the landscape. The landscape is transformed by carpets programmed in time. The old buildings preserve the memory of mining activity which generated a landscape which will continue to evolve. Here, infiltrations take the form of a dialogue in time.

In the project Street with Six Landscapes, the Formalhaut group proposes to transform a street using different landscapes: Bog eye, a desert pair, a climbing mountain, a stream and a meadow with two tree groupings, juxtaposing simulations and natural elements. Cinéma Bleu and the film Sortie *is a project made up of three elements, landscape, cinema and film. A thirty-seat cinema built and clad in steel is located in one of the many canals of the Marais Poitevin region, near Niort, France. The film shown,* Sortie, *by Ottmar Hörl, reproduces precisely the canal between Niort and the Atlantic, filmed from a boat.*

Elisabeth Diller and Ricardo Scofidio's project Stow House proposes a reflection on the appropriation of the landscape, both in space and in time. The project, for a house on Long Island, concentrates and orders all its needs along the curving geometry of the architectural object. The succession of visuals and perspectives inside the inner space seek the natural and digital exterior through the window and the television.

Paulo Mendes de Rocha finds the identity of the Brazilian Sculpture Museum in relation to the different situations of scale offered by the place. Infiltrations, unfinished dialogues between landscape and architecture, are articulated around the abstraction of contrasting scales.

CARLES PUIG, SARA NADAL

La coherencia del esquema de Krauss es fascinante e ilusoria. Los términos pueden invertirse y la estructura sigue siendo perfecta. Arquitectura y paisaje se eluden mutuamente, contrarios en la lógica que plantea el grupo Klein. La existencia de un espacio híbrido y no localizable en la familia de conceptos históricos poco cuestionados no comporta ningún movimiento de dislocación, ninguna discontinuidad. Pero el espacio, en palabras de Mark Wigley, "siempre es un efecto del discurso", del diálogo que el discurso implica. La antología del acontecimiento, en su no pertenencia al espacio doméstico o domesticable, emerge en cada uno de los proyectos tratados. La traducción constante entre ámbitos que mantienen una relación dialéctica exige una constante redefinición de los términos: una redefinición que, lejos de destruirlos, los utiliza activamente. Los conceptos se convierten en piezas de un proceso inacabado: desfamiliarizar la dicotomía, abrirla al no espacio de la alteridad significa dejar de lado los juegos de sustituciones para iniciar un desplazamiento, convertido en la pérdida de dirección.

Hablar del paisaje es hablar del desplazamiento de la arquitectura, un desplazamiento sin cartografía posible. Si el espacio del paisaje es un efecto de la arquitectura, un efecto que la mirada articula, la arquitectura invisible del paisaje es el fantasma que emerge en cada uno de los proyectos. Descubrir o inventar esta arquitectura invisible se erige en una mutualidad forzosa: el espacio de la arquitectura se articula siempre en referencia al no espacio del paisaje, el paisaje se convierte en reflejo de una alteridad inherente a la propia arquitectura. El paisaje ya es arquitectura, pero la arquitectura no puede ser sin el paisaje.

En un entorno devastado por la extracción de carbón, al sur de Leizpzig, Florian Beigel plantea una estrategia de recuperación del paisaje a largo plazo. El paisaje se transforma mediante tapices programados en el tiempo. Los antiguos edificios preservan la memoria de una actividad minera generadora de un paisaje que seguirá evolucionando. Las infiltraciones toman aquí la forma de un diálogo a través del tiempo.

El grupo Formalhaut, en su proyecto Calle con seis paisajes, propone transformar una calle introduciendo distintos paisajes: un charco de pantano, un desierto, una plantación de abetos, una montaña para escalar, un arroyo y un prado con dos arboledas, yuxtaponiendo simulaciones y elementos naturales. Cinéma Bleu y la película Sortie integran un proyecto de tres elementos, paisaje, cine y película. Un cine de treinta localidades construido y revestido de acero se sitúa en uno de los numerosos canales de la región del Marais Poitevin, cerca de Niort (Francia). La película proyectada, Sortie *de Ottmar Hörl, muestra precisamente el tramo del canal situado entre Niort y el Atlántico, filmado desde una embarcación.*

El proyecto Slow House de Elisabeth Diller y Ricardo Scofidio plantea una reflexión sobre la apropiación del paisaje, tanto en el espacio como en el tiempo, aplicado a una residencia de vacaciones en Long Island. La vivienda concentra y ordena todas sus necesidades a lo largo de la geometría curvilínea del objeto arquitectónico. La sucesión de elementos visuales y perspectivas en el espacio interior buscan el exterior natural y digital mediante la ventana y el monitor de vídeo.

Paulo Mendes da Rocha busca la identidad del Museo Brasileño de Escultura en la relación de las distintas situaciones de escala que ofrece el lugar. Las infiltraciones, los diálogos inacabados entre paisaje y arquitectura se articulan en torno a la abstracción de los contrastes de escala.

CARLES PUIG, SARA NADAL

Paulo Mendes da Rocha y Dominique Perrault –respectivamente en Sao Paulo y en Berlín– deciden convertir extensos programas (un museo y un polideportivo) en grandes ausencias de volúmenes; ofrecen a sus ciudades vacíos que son de inmediato invadidos por la naturaleza y el espacio público conjuntamente.

Paulo Mendes da Rocha and Dominique Perrault –respectively in Sao Paulo and in Berlin– transform large programs (a museum and a sports hall) into absent volumes; they offer their cities empty spaces that will be immediately invaded by nature and public space together.

MuBE, Brazilian Sculpture Museum PAULO MENDES DA ROCHA ***This sculpture museum is designed as a shady garden, an open-air theatre, lowered into the ground. The main building only emerges in the form of a covered space, a symbolic place of shelter in the garden, a point of reference and a parameter of scale between the sculptures and the observer. This simple shelter, like a porch or loggia, measures twelve metres wide with a span of sixty. Recourse to the differences in level of the site mean that the museum itself is designed as a false basement which turns in on itself to redesign the surface of the plot.***

MuBE, Museo Brasileño de Escultura PAULO MENDES DA ROCHA ***El museo de esculturas se ha concebido como un jardín con sombra, y un teatro al aire libre, rebajado en el terreno. El edificio principal no aparece a cielo abierto, a no ser por un alpendre, lugar de abrigo simbólico sobre el jardín, punto de referencia y parámetro de escala entre las esculturas y el observador. Este simple abrigo, como una*** **loggia** ***o portal, tiene doce metros de ancho y sesenta de luz. El museo propiamente dicho, debido al aprovechamiento de las diferencias de niveles existentes a lo largo del terreno, está proyectado como un falso subsuelo que, volviéndose hacia el interior, rediseña la parcela en superficie.***

Cycle track and Olympic swimming pool in Berlin *DOMINIQUE PERRAULT* ***Berlin's candidature to host the Olympic Games in the year 2000 represents part of the city's urban renewal process. One of its aims is to reinforce or create poles of activity on the outer edges of the old centre. Dominique Perrault's project establishes the necessary conditions and back-up for the development of one of these new city focuses, uncovering the urban conditions of the place and its possible transformation to create a new area of centrality. It defines a landscape bordering on landmarks, marks out the territory and accommodates these sporting facilities in the heart of a new park; the idea is to ease these new facilities into the district without upsetting either its shape or day-to-day running. The sports stadiums are respectively covered with pieces of metal fabric to extend coverage of the site. These expanses of reflecting materials will resemble two stretches of water during the day and, at night, surfaces which throw out a myriad of lights.***

The project probes the relations between nature and city, the effacing of architecture; it does not flaunt technology or technical demonstrations of structural prowess, it belongs to the realm of the world of the senses. Its intention is to open, offer, reveal, complete, embellish and modernise with no obstructions or hard-and-fast plans for the future. This project eludes to the question of style to deal with anti-form as a mutation of architecture conceived in terms of design. Notions such as the style of facade, interior-exterior, boundary wall, coupling of forms, continuity of spaces, are all seen as obsolete and insufficient when it comes to reflecting the complexity of the setting.

El proyecto, a pesar de su volumen, propone un vacío y un jardín en el interior de la ciudad.
The project, in spite of its volume, proposes an empty space and a garden inside the city.

Buenos Aires y París desde los vacíos de los proyectos Televisa de Manteola, Sánchez Gómez, Santos, Solsona y Viñoly y del Grand Axe de Chemetov y Huidobro

Buenos Aires and Paris from the empty spaces of Televisa by ***Manteola, Sánchez Gómez, Santos, Solsona*** *and* ***Viñoly*** *and the* ***Grand Axe*** *by* ***Chemetov y Huidobro***

The Grand Axe Gardens *PAUL CHEMETOV, BORJA HUIDOBRO* ***Chemetov and Huidobro's proposal introduces this nature resolutely into the composition of their landscape and seeks the laws to generate the composition in the territory while it approaches*** in nuce ***the dissolution of the axis in the magma of the surrounding territories. It proposes extending the Nanterre woods to L'Arche via a winding, green "urban valley", with the compact city solidifying around its edges.***

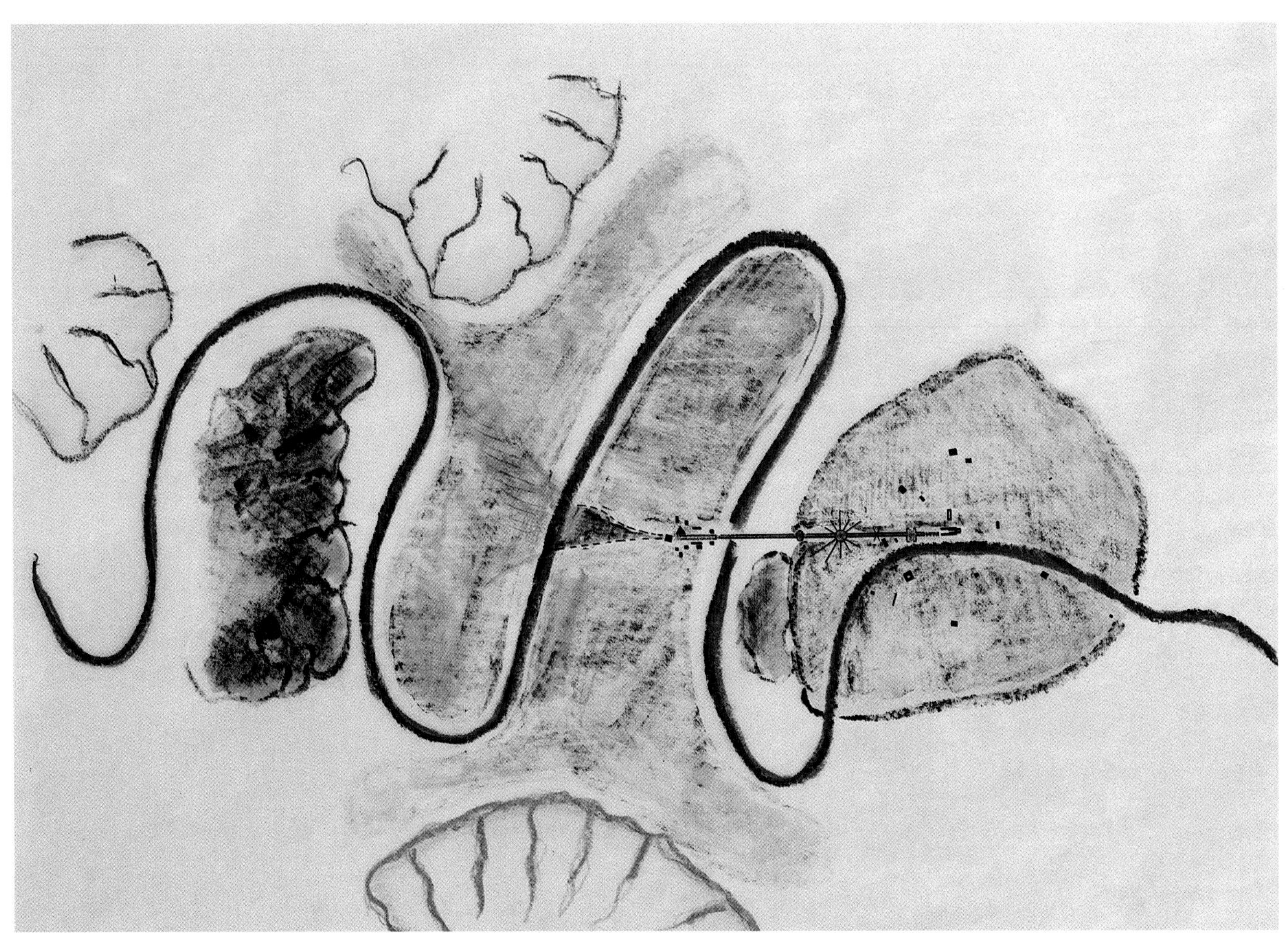

Los Jardines del Grand Axe PAUL CHEMETOV, BORJA HUIDOBRO ***La propuesta de Chemetov y Huidobro hace entrar resueltamente esta naturaleza en la composición de su paisaje y busca en el territorio las leyes generadoras de la composición, a la vez que plantea in nuce la disolución del eje en el magma de los territorios periféricos. Se propone la prolongación del bosque de Nanterre hasta L'Arche, a través de un "valle urbano", verde y sinuoso, que incorpora una axialidad no rectilínea, mientras que, a sus bordes, la ciudad compacta se solidifica.***

Los proyectos para la canalización del río Guadalhorce de Ábalos y Herreros y la reutilización de la Witznitz Brikettfabrik de Florian Beigel diluyen las fronteras entre ciudad y territorio libre, entre paisaje urbano y espacio abierto

Ábalos y Herreros´ canalization project of the river Guadalhorce and Florian Beigel´s post-use of the Witznitz Brikettfabrik erase the borders between the city and the open territory, between the urbanscape and the open space

Canalization of the river Guadalhorce *IÑAKI ÁBALOS, JUAN HERREROS* ***To choose the context to give rise to a contemporary space —that is, to choose of the instruments, the scale, the physicality, the means and the themes needed to act–. To refuse to negotiate leading to an acceptance of the bet. These are the basic criteria for the development of this project. It is the areas of impunity, the places where new civil society gels —its means and types—, it is the coolness of the gestures, the appropriation of empty space, on which the proposal moves; not inward hermeneutic transcendental looking space, nor the dense, existential space which anchors place and time. The idea here is to slide over the surface troubled by neither anguish nor nostalgia; capture all that is startling as it flows in the face of rigidity; deploy the artillery of all that is transient; build the nature of our times with eyes which refuse to separate upper and lower case, art and consumption.***

The canalization of a river in Spain's touristic south requires working with nothing, with overflow and transience. No more than lines and vectors, skin and bodies, tangential consciousnesses: a line running crossways to the coast.

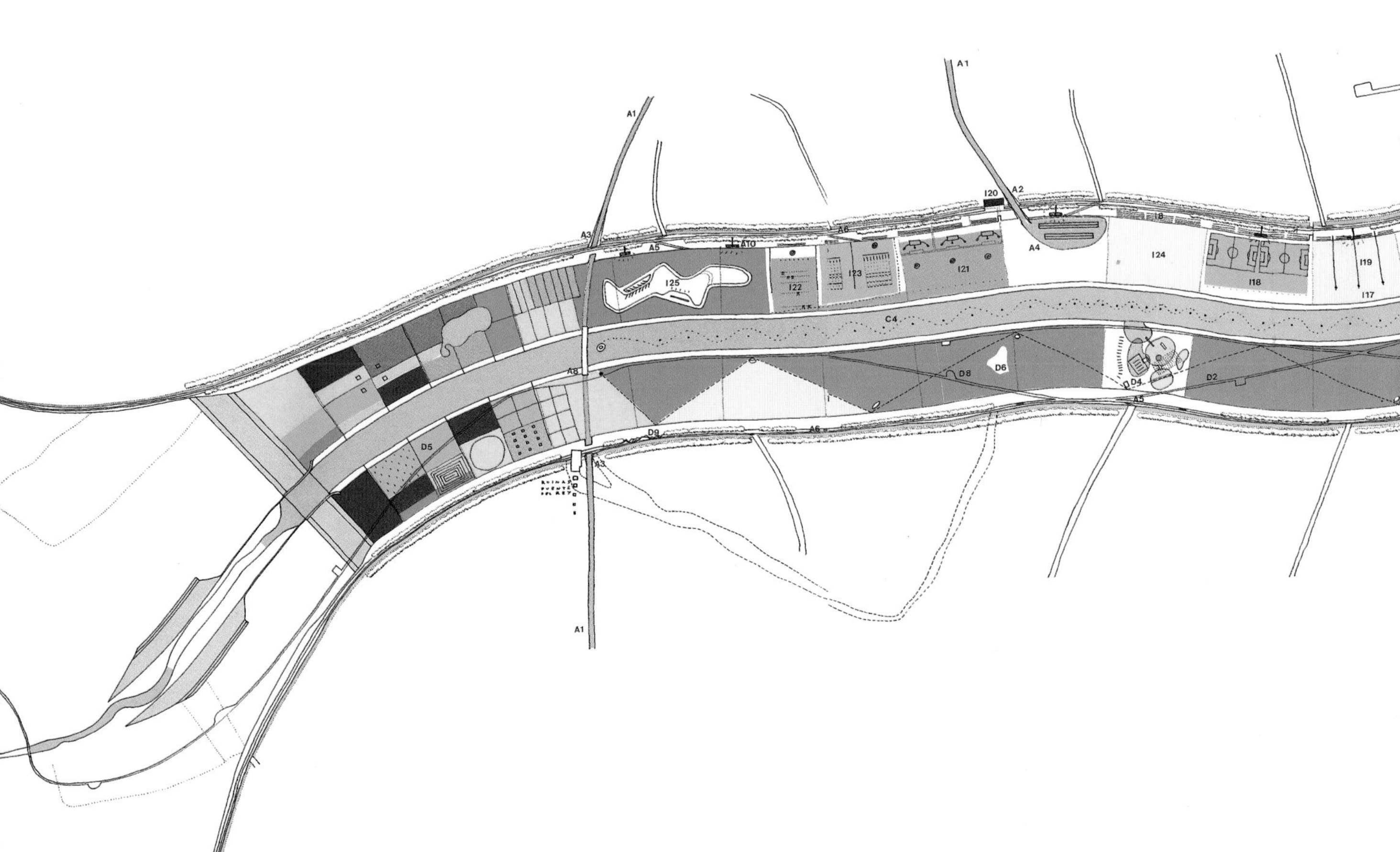

Encauzamiento del río Guadalhorce *IÑAQUI ÁBALOS, JUAN HERREROS* ***Elegir el contexto que puede dar lugar a un espacio contemporáneo, es decir: elegir los instrumentos, la escala, la fisicidad, los modos y temas con los que operar, negarse a la negociación en favor de la apuesta son los criterios sobre los que se basa el desarrollo de este proyecto. Son las áreas de impunidad, los lugares en los que cuaja la nueva sociedad civil -sus modos-su tipología-, es la displicencia del gesto, la apropiación del vacío aquello sobre lo que mueve la propuesta; no la mirada interior, hermenéutica y trascendental, ni el espacio denso, existencial que ancla el lugar y el tiempo. Se trata en cambio de deslizarse por la superficie sin angustia, sin nostalgia; capturar al fluir lo que asombra contra el espíritu enladrillador; desplegar la artillería de lo fugaz; construir la naturaleza de nuestro tiempo con una mirada que se niega a separar mayúsculas y minúsculas, arte y consumo. El encauzamiento de un río en el sur turístico de España obliga a operar con la nada, con el desbordamiento y la fugacidad. Sólo líneas y vectores, piel y cuerpos, conciencias tangentes: una línea transversal a la costa.***

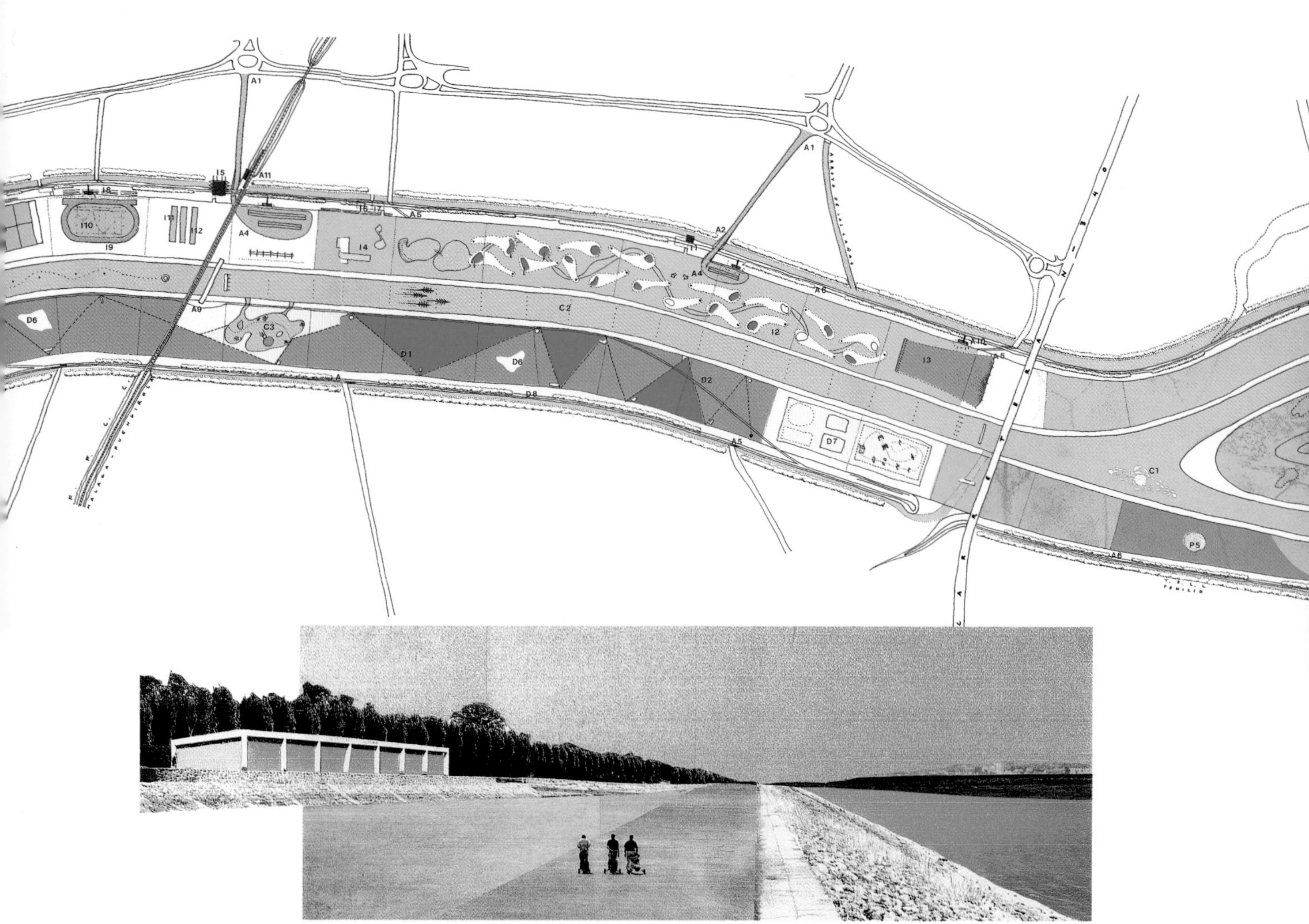

Post-use of the Witznitz Brikettfabrik *FLORIAN BEIGEL + ARCHITECTURE RESEARCH UNIT* ***The site is in the region of Saxony in the former German Democratic Republic, where the existing flat agricultural land has been enormously changed during this century due to large scale open cast mining for brown coal. This lanscape has been transformed into a vast artificial topography - a second nature. Temporality was essentially the most important design consideration for this project. The main idea of the design was to cultivate, initially, before the buildings are regenerated, an architectural landscape of activity fields in order to achieve a considerabily enhanced attractiveness of the site for future uses and developments yet unknown.***

The garden is a composition of a variety of materialities mostly as they were found on site, ranging from good yards, ash basins with ecological test beds, clay covers to contaminated soil deposits, a wild meadow of long grass or groups of birch trees. These fields could be seen as carpets in the landscape. The design attemps to make visible the topographical relationships between elements of the natural lanscape and elements of the post mining landscape. Activity fields are designed to attract various activities in time and to unify them. They could be seen as an architectural infrastructure for the future community of Witznitz and have been programmed with initial and long term uses. The gestalt of this space is generated by consideration and understanding of geological time, the processes of mining, elements in the landscape, archeology of remains and the biological succession of plant life in the post mining situation.

Rehabilitación de la Witznitz Brikettfabrik FLORIAN BEIGEL + ARCHITECTURE RESEARCH UNIT ***El emplazamiento está situado en la región de Sajonia, en la antigua RDA, en un entorno donde el territorio esencialmente agrícola ha sufrido profundas transformaciones a lo largo de este siglo, debido a las excavaciones de carbón mineral a gran escala.***

Este paisaje se ha convertido en una vasta topografía artificial, una segunda naturaleza. La consideración más importante a la hora de concebir este proyecto fue la temporalidad. La idea principal del proyecto fue crear un paisaje arquitectónico de campos de actividad, antes de que se rehabilitaran los edificios, a fin de intensificar el atractivo del entorno para usos y urbanizaciones futuras aún desconocidas. El jardín está compuesto por una gran diversidad de materiales, a menudo tal y como se encontraban en su entorno: zonas de almacenaje, cuencas de cenizas con lechos de pruebas ecológicas, depósitos de residuos tóxicos cubiertos de barro, un campo salvaje de hierba larga y arboledas de abedules. Esos campos son como alfombras del paisaje. El proyecto intenta poner de manifiesto las relaciones topográficas entre los elementos del paisaje natural y los del paisaje generado por la prospección minera. Estos campos de actividad se han concebido para atraer e integrar al mismo tiempo actividades diversas. En conjunto, podríamos definirlos como una infaestructura arquitectónica para la futura comunidad de Witznitz, concebida para usos iniciales y a largo plazo. La forma (Gestalt) de este espacio surge a partir de la consideración y comprensión de la era geológica, los procesos de minería, los distintos elementos que integran el paisaje, la arqueología de los residuos y la sucesión biológica de la vida vegetal en un antiguo territorio minero.

Street with six landscapes FORMALHAUT ***The group Formalhaut proposes to transform the streetscape in front of the Center for Art and Media Technology with the images of a variety of landscape spaces. These landscape spaces are: a bog eye, a desert pair, a spruce plantation, a climbing mountain, a stream and a meadow with two tree groupings.***

The lanscapes are produced. They are presented in the form of individual islands, which are arranged in a row and, as it were, drift on the communal tableau of the street. Each landscape is formed in a different manner, abstracted or stranged: virtually natural formations with vegetation (meadow landscape) are located near structurally formalised vegetation (spruce plantation); natural stone of varying phases of erosion (deserts) are next to stone that is imitated in both material and geo-morphology (climbing mountain); finally the basic natural element water is morphologically and semantically elevated (bog eye) or virtually converted (stream). So, no archaic nature, but a strange park with simulations and realities of nature. Although they differ from, and are foreign to one another, the lanscapes exist communally and simultaneously in this project.

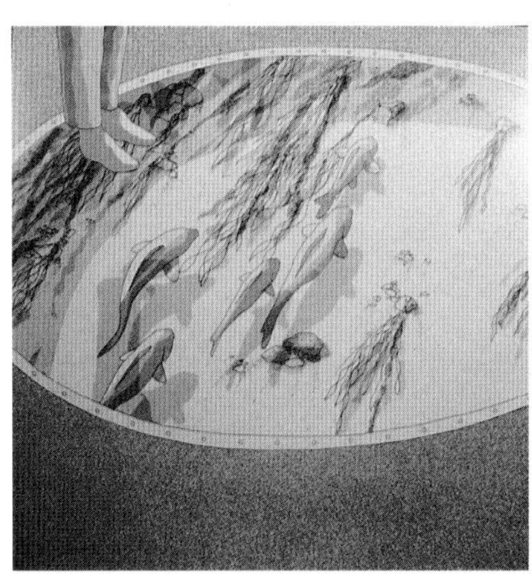

Calle con seis paisajes FORMALHAUT ***El grupo Formalhaut propone transformar el paisaje de la calle situada frente al Centro de Arte y Tecnología Multimedia con imágenes de diversos paisajes. Estos paisajes son: un círculo pantanoso, un desierto, una plantación de abetos, una montaña para escalar, un arroyo y un prado con dos arboledas.***

Los paisajes son artificiales. Se presentan en forma de islas individuales, alineadas, como flotando en el escenario de la calle. Cada paisaje está formado de distinta manera, ajeno o descontextualizado: las formaciones virtualmente naturales con vegetación (paisaje de prados) se sitúan junto a vegetación formalizada estructuralmente (plantación de abetos); la piedra natural en diversas fases de erosión (desierto) junto a la piedra artificial en material y geomorfología (montaña); finalmente, el elemento natural básico, el agua, se ve elevada morfológica y semánticamente (círculo pantanoso) o se convierte en virtual (arroyo). Así pues, no se trata de una naturaleza arcaica, sino de un extraño parque formado por simulaciones y realidades de la naturaleza.

Si bien difieren y son ajenos entre sí, estos paisajes conviven simultáneamente en este proyecto.

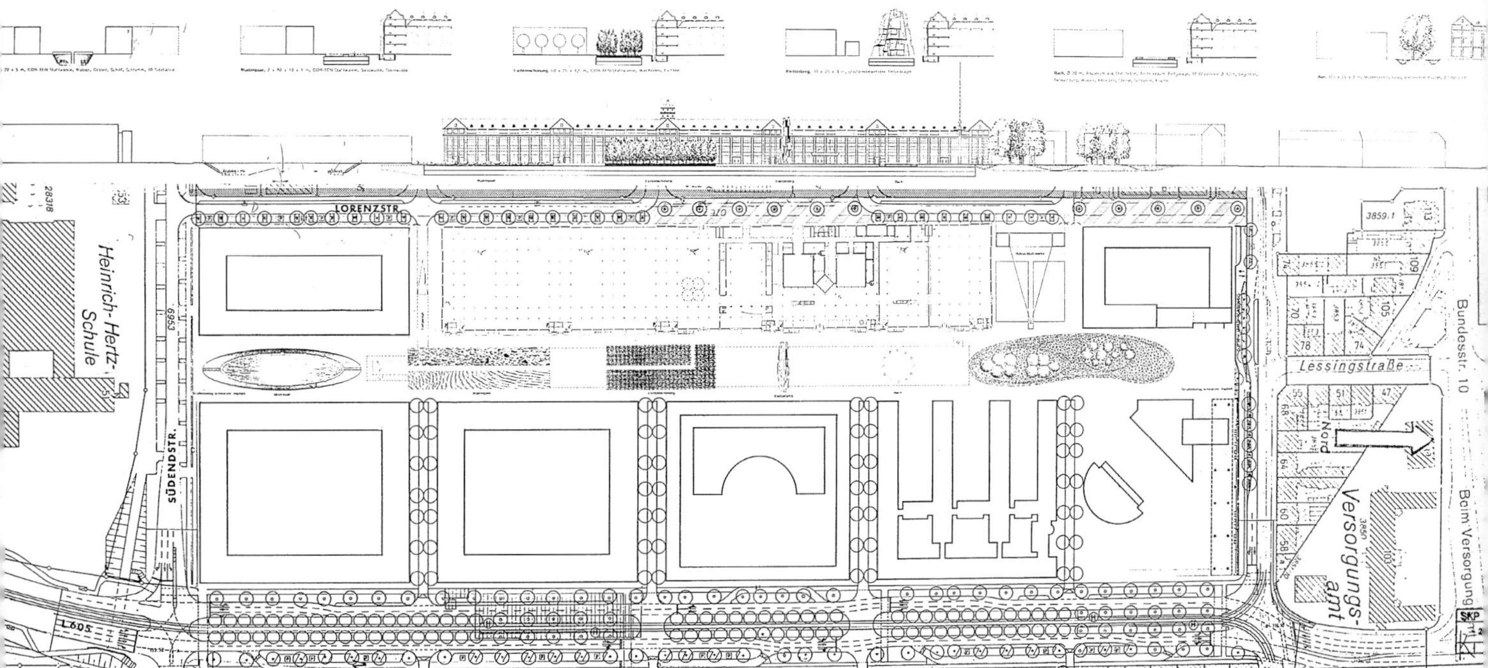

Las imágenes del exterior que ofrecen, mediante dispositivos tecnológicos de volúmenes ciegos, los proyectos* Slow House *de Diller & Scofidio y* Cinéma Bleu *de Formalhaut

Exterior images which offer, using technological devices of blind volumes, the Slow House from Diller & Scofidio and the Cinéma Bleu *from Formalhaut*

Cinéma Bleu FORMALHAUT ***The three elements landscape, cinema and film, together form a*** **gesamtkunswerk.**
LANSCAPE ***The numerous salt and sweetwater canals in the*** **Marais Poitevin** ***region near Niort, France, belong to the largest marshland in Europe. They stem from a drainage project dating back to the 16th century.***
CINEMA ***Space made out of a steel substructure, steel plate cladding, painted cobalt blue, 30 audience seats.***
FILM ***The film*** **Sortie** ***by Ottmar Hörl features the waterway between Niort and the Atlantic filmed from a motorboat.***

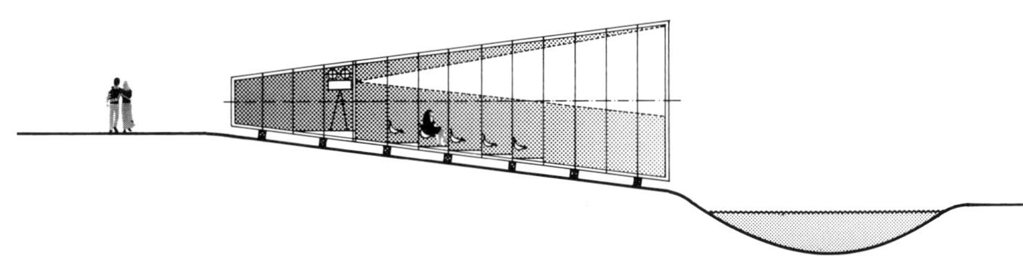

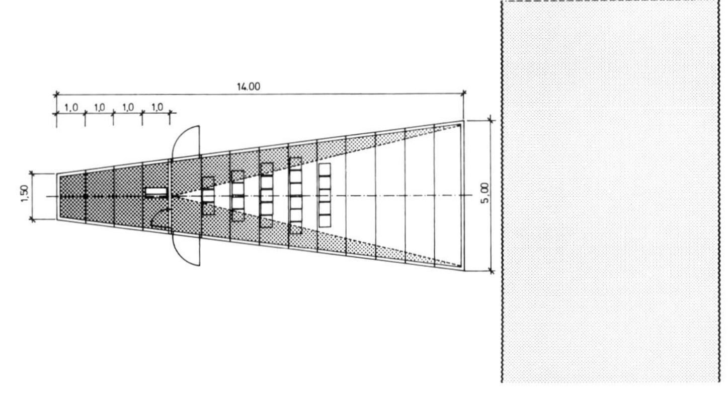

Cinéma Blue FORMALHAUT ***Los tres elementos, paisaje, cine y película se unen para formar un Gesamtkunstwerk.***
PAISAJE ***Los numerosos canales de agua dulce y salada de la región del "Marais Poitevin", cerca de Niort, Francia, pertenecen a las mayores marismas de Europa. Los canales derivan de una antigua red de alcantarillado que data del siglo XVI.***
SALA DE CINE ***Espacio construido sobre una estructura de acero, recubierta de placas de acero pintadas color azul cobalto, con un aforo de 30 localidades.***
PELÍCULA ***La película* **Sortie** *de Ottmar Hörls muestra el canal navegable desde Niort hasta el Atlántico, filmado desde una lancha motora.***

The Slow House DILLER & SCOFIDIO ***There is no front facade, only a front door. Beyond the door, a knife edge cuts the receding passage in plan and in section – the passage always advances to the ocean view at the wide end. The house is simply a passage, a door that leads to a window; physical entry to optical departure. At the end of the 33m passage, to either side of the picture window, are two antenna-like stacks. The chimney is to the right. At the summit of the left stack sits a live video camera directed at the water view which feeds a monitor in front of the picture window. The camera can pan or zoom by remote control. When recorded, the view may be deferred: day played back at night, fair weather played back in foul. In the living space, the composite view, in two representational modes, will always be out of register. As the view produced through the frame of the picture window is no less mediated than the one produced on video, the dialectics of mediation collapse.***

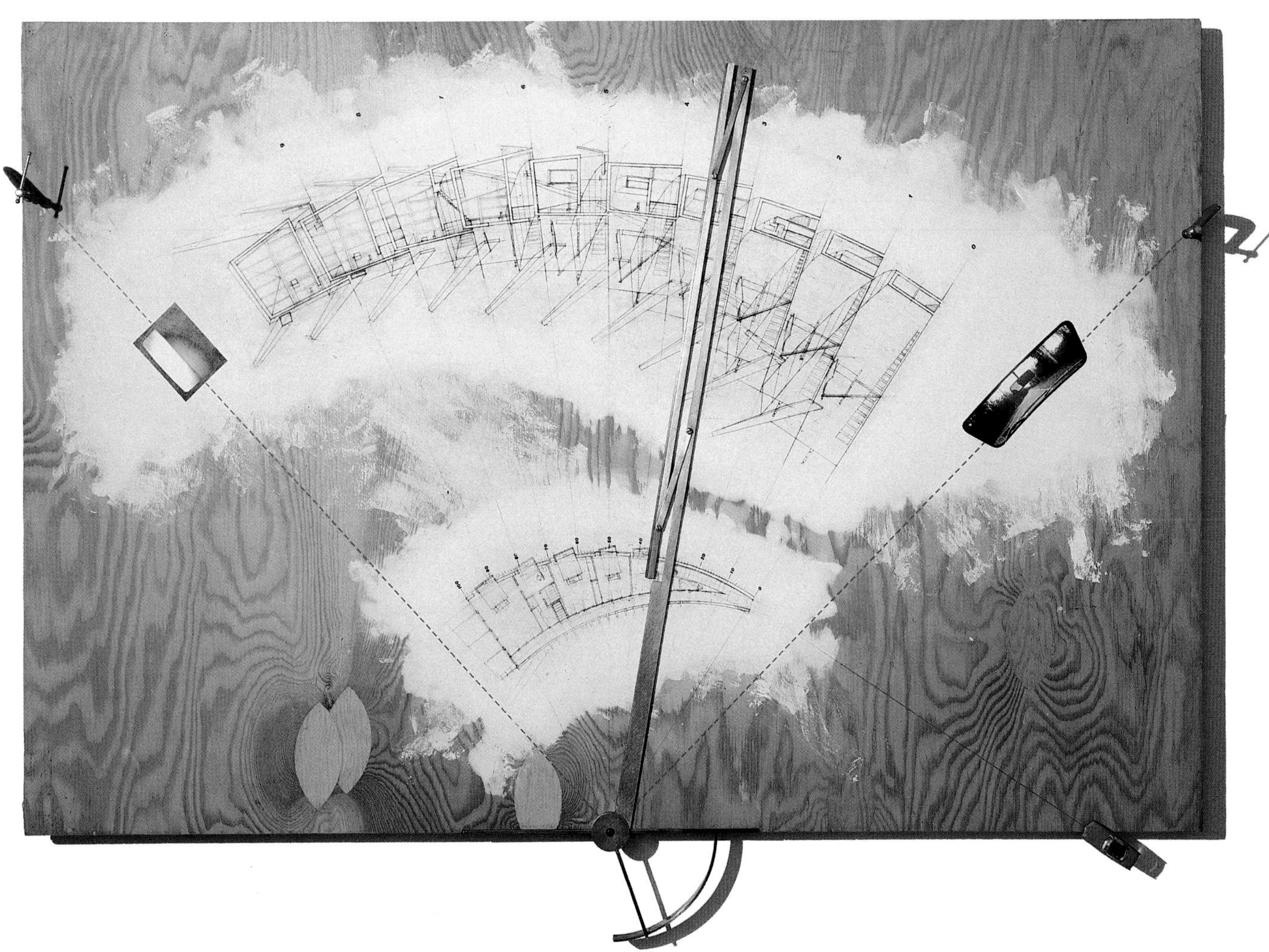

Estudio de la planta y de las visuales: desde el retrovisor del coche hasta la pantalla de vídeo que graba el exterior
Plan and visual study: from the rear view mirror to the video screen recording the exterior)

Slow House *DILLER & SCOFIDO* ***Este edificio no tiene fachada, sólo una puerta principal. Al otro lado de la puerta, se extiende un corredor cortado a filo en planta y sección, que avanza directamente hasta las vistas al océano del final. La casa es simplemente un pasillo, una puerta que conduce a una ventana; la entrada física a una salida óptica. Al final del corredor de 33 m, a cada lado de la ventana panorámica, hay dos tubos que parecen antenas. A la derecha está la chimenea. Sobre el tubo izquierdo hay una videocámara orientada hacia el mar que alimenta el monitor situado frente a la ventana panorámica. La cámara hace barridos o zooms dirigida por control remoto. Una vez grabada, la vista puede emitirse en diferido: las escenas de noche se ven de día, las de buen tiempo en días tormentosos. En la sala de estar, la vista que componen los dos modos distintos de representación -ventana y monitor-, siempre será contradictoria, quedará fuera de registro. Como la visión percibida a través del marco de la ventana panorámica está tan mediatizada como la que registra la videocámara, la dialéctica de mediación produce un choque, una colisión visual.***

landmarks

Dominique Perrault's Bibliothèque Nationale, ***as well as the other projects in this chapter, establish simultaneous relationships between city and territory***

The dissolution of the limits between city and territory in new models for urban settlements is due increasingly to architectures which polarize our gaze. We are presented with objects set against anonymous backdrops, with meanings which refer to guidelines which are not strictly local.

These built objects jockey for position as poles of reference in the surrounding territories. They aspire to collect territorial-scale elements around them. Their ambition knows no limits; the territory covered represents the force of the metropolis at its centre; it aims to have a regional or even world-wide area of influence. In the new city-territory organization, traditional urban structure has been replaced by structures made up of motorways and large buildings. Cultural and commercial focuses establish "new centres of public life", with a fabric which covers the entire urban and suburban landscape. New descriptions of models of contemporary settlements show how the entire territory is urban: the city needs all of its surroundings, particularly those which are furthest away. These "centres of public life" –museums, libraries, theatres, congress and business centres, shopping malls– have to refer not only to the traditional city where they are located, but also to the new territorial support in which they are set. Their relationship to this support has to be established via connections with communication networks, which must be efficient and recognisable.

This dissolution between the limits of the city and the territory is produced not by a physical approximation of positions but by an immaterial metastasis of distances and times. Urban planning metastasis, understood in the eighties as a physical contagion between

La Bibliothèque Nationale de Dominique Perrault, *como los otros proyectos de este capítulo, establecen relaciones simultáneas entre ciudad y territorio*

La disolución de los límites entre ciudad y territorio en los nuevos modelos de asentamientos urbanos se debe cada vez más a arquitecturas que polarizan nuestras miradas. Se trata de objetos que se presentan por encima de fondos anónimos y que refieren su sentido a pautas no estrictamente locales.

Estos objetos construidos pugnan por establecerse como polos de referencia de los territorios que los envuelven. Su pretensión es congregar en ellos elementos de escala territorial. Su ambición no tiene límites; el territorio abarcado responde a la potencia de la metrópolis que lo circunda; su área de influencia anhela ser regional o, incluso, universal.

En la nueva organización de la ciudad-territorio, la estructura urbana tradicional ha sido sustituida por las estructuras formadas por las autopistas y los grandes edificios. Los centros culturales y comerciales organizan "nuevos centros de vida pública", cuya trama la constituye todo el paisaje urbano y suburbano. Las nuevas descripciones de los modelos de asentamiento contemporáneo muestran que lo urbano constituye todo el territorio: la ciudad necesita todo su entorno y, especialmente, áquel que está más alejado de ella.

Estos "centros de vida pública": museos, bibliotecas, teatros, centros de convenciones y negocios, centros comerciales, tienen que remitirse no tan sólo a la ciudad tradicional donde quedan emplazados, sino también al nuevo soporte territorial que los alberga.

Sus relaciones con ese soporte deben establecerse mediante conexiones con las redes de comunicación; éstas deben eficaces y reconocibles. Esta disolución entre los límites de la ciudad y el territorio, no se produce por una aproximación física de posiciones,

rundown peripheral fabric and development operations intended to set up areas of new centrality, is insufficient when it comes to the entire territory of the metropolis. The new centres of public life cannot be content to merely contaminate their immediate surroundings; they have to aspire to polarize the needs of a territory further afield. In this game of dissolving limits, built objects scatters the territory or the actual city with urban phenomena which arrange and define the landscape. These objects must be concerned not only with their implantation in the place and the immediacy of their surroundings; they also have to respond to the demands of a wider context, by contemplating the different scales of this relationship.

This variety of scales suggests new types of perception which have little to do with the schemes of traditional space. They are focuses of attention from different points of view, simultaneous and plural, diluting and shortening the distances between the city and its surroundings.

These architectures all have large dimensions in common, allowing them to become detached from their urban fabric, establish relations with a broader context and compete with the city as a whole or the suburban landscape.

By nature they gravitate towards sites which provide them with good connections to infrastructures, thus becoming parasites on communications networks and morphological elements of the territory; the bonds that hold them prevent them from drifting away.

Large buildings can be capable of bringing together architecture, brief and territory in a new definition of community. Typological and formal study may undoubtedly give rise to a new kind of spatial, programmatic landscape, the study of which has to open up new fields of action.

It is in this sense that the projects presented here are to be understood. Their host cities have undergone –or are undergoing– intense transformations arising from a process of expanding territorial influence.

The case of Paris has historical precedents. French culture has traditionally exercised this course of action. The Arche de La Défense, with its area of influence, and the recently built Bibliothèque Nationale currently represent a historical model of settlement and territorial affirmation, based on geometry and regulating axes. Their relation with the river allows them to establish a physical relationship over the capital's surrounding territory.

Something similar is happening on the right bank of the river Nervión in Bilbao. The Guggenheim Museum and the Congress Centre are still direct references to the majestic ships that were built there in the past, by way of a response to the chaotic spatial organization of the estuary. The presence of architectural objects is imposed on existing obsolete industries to create the new role as cultural centre which the city aspires to. Ábalos and Herreros' project for the intermediate area of Abandoibarra picks up the scale of the two adjacent megastructures in its residential zone. Great towers anchor this stretch and create its profile in the city.

Greater caution has been exercised in Olympic and post-Olympic Barcelona as a result of the self-absorption of an architecture rooted in the proliferation of small-scale objects as a basis for its territorialization. Nonetheless, the examples presented here share the desire to break with this reticence, taking the plunge into territorial scale.

ALBERT CIVIT, MANUEL BAILO

sino por una metástasis inmaterial de distancias y tiempos. La metástasis urbanística, entendida, durante los años ochenta, como contagio físico entre los tejidos periféricos degradados y las operaciones urbanísticas destinadas a establecer áreas de nueva centralidad, es ahora insuficiente para abarcar la totalidad del territorio de la metrópolis.

Los nuevos centros de la vida pública no pueden conformarse con contagiar aquello que les rodea, sino que deben pretender polarizar las necesidades de un territorio más amplio. En este juego de disolución de límites, los objetos construidos salpican el territorio o la propia ciudad de fenómenos urbanos que organizan y definen el paisaje. Estos objetos no deben atender tan sólo a su implantación en el lugar y a la inmediatez de su entorno, sino que, además, deben responder a las exigencias de un entorno más amplio, contemplando las diferentes escalas de esta relación.

Esta variedad de relaciones escalares plantea nuevos tipos de percepciones que poco tienen que ver con los esquemas del espacio tradicional. Atraen las miradas desde diversos puntos de vista, de una forma simultánea y plural, diluyendo y acercando las distancias entre la ciudad y su entorno.

Estas arquitecturas tienen en común su gran dimensión, que les permite desvincularse de los tejidos urbanos, establecer relaciones con un contexto más amplio y competir con el conjunto de la ciudad o del paisaje suburbano.

Su naturaleza les hace gravitar hacia emplazamientos que permitan una buena conexión con las infraestructuras, convirtiéndose en parásitos de las redes de comunicación y de los elementos morfológicos del territorio; su trabazón impide que queden a la deriva.

Los grandes edificios puede ser capaces de reunir arquitectura, programa y territorio en una nueva definición de comunidad.

Su estudio tipológico y formal puede dar lugar, sin duda, a un nuevo tipo de paisaje espacial y programático, cuyo estudio debe abrir nuevos campos de acción.

Los proyectos aquí presentados deben entenderse en este sentido. Las ciudades que los albergan han sufrido, o están sufriendo, intensas transformaciones que remiten a un proceso de expansión de influencia territorial.

El caso de París tiene raíces históricas. La cultura francesa ha ensayado tradicionalmente esta opción. L´Arche de La Défense, con su área de influencia, y la reciente Bibliothèque Nationale, representan actualmente un modelo histórico de asentamiento y afirmación territorial, basado en la geometría y los ejes reguladores. Su relación con el río le permite establecer una relación física sobre el territorio circundante de la capital.

Algo parecido está sucediendo en el margen derecho del río Nervión. Las obras del nuevo Museo Guggenheim y del Palacio de la Ópera y de Congresos no dejan de ser una referencia directa de los majestuosos navíos, antaño construidos en ese lugar, en respuesta a la caótica organización espacial de la ría. La existencia de industrias obsoletas marca, mediante la presencia de objetos arquitectónicos, el nuevo horizonte de capitalidad cultural que la ciudad pretende abarcar. El proyecto de Ábalos y Herreros para el concurso del área de Abandoibarra recupera, para la zona residencial, la escala de las dos megaestructuras adyacentes. Unas inmensas torres anclan la trama y su figura en la ciudad.

En la Barcelona olímpica y post-olímpica, se ha actuado con más precaución, debido al ensimismamiento de una arquitectura fundamentada en la proliferación de objetos de pequeña escala como base para una territorialización. Sin embargo, los ejemplos que se presentan tienen en común la intención de romper esa timidez, ensayando saltos de escala territorial.

ALBERT CIVIT, MANUEL BAILO

Tres pequeñas construcciones -La vivienda unifamiliar de Vicente Guallart, El ático Beistegui de Le Corbusier y la Villa Dall'Ava de Rem Koolhaas- que colmatan el territorio refiriéndolo al fondo urbano

Three small buildings –Vicente Guallart´s Single family House, Le Corbusier´s Beistegui Penthouse and Rem Koolhaas´ Villa Dall'Ava– that fill the territory, refering it to its urban context

Villa Dall'Ava REM KOOLHAAS ***The architectural option was determined by the notable influence of the built-up and landscape surroundings. Thus, in order to preserve the visual relationships and control the complex correspondences between the existing architectural objects, the terrain is divided into three belts on an east-west orientation. The first partition, defined as a garden, is inscribed in the continuity of the upper allotment section and extends to the pedestrian entrance. The wish to preserve an unconstructed belt at the end of the side value the new neighborhood relationships. The lengthwise building constitutes the second belt while the third, asphalted, provides access to the garage. The main volume of the building is arranged along the axis of the allotment. The roofs offer a panoramic view of Paris.***

Un acceso suburbano para un dispositivo de referencia respecto al centro de la ciudad

A suburban acces for a reference device with respect to the city centre

Villa Dall'Ava REM KOOLHAAS ***Es la influencia del territorio construido y del paisaje lo que determina la opción arquitectónica. Así, con objeto de preservar las relaciones visuales y de controlar las complejas correspondencias existentes entre los objetos arquitectónicos presentes, el terreno se divide en tres franjas, orientadas de este a oeste. La primera partición, definida como un jardín, se inscribe en la continuidad de la franja de la parcela superior y se prolonga hasta la entrada de peatones. la voluntad de preservar una franja no construida al fondo del solar permite valorar las nuevas relaciones de vecindad. La segunda franja la constituye el edificio longitudinal, y la tercera, asfaltada, permite el acceso al garaje. El volumen principal del edificio se dispone en el eje de la parcela.***
Las cubiertas ofrecen una vista panorámica de París.

Single-family house VICENTE GUALLART ***The analysis of the landscape and its natural elements forms the basis for this project. This approach governed the choice of materials and the lay-out of the programme and circulation. The uses are developed in section: the basement, which is introduced into the ground, and the roof, in contact with the sky, are spaces to be used as intensively as the natural ground level. A simple ground plan organizes the building in a superposition of layers each with their own characteristics. The spaces in this house are understood as empty spaces occupied by multifunctional objects which, on occasion, convert the whole interior into furnishing. Accumulation and concentration make for optimization of resources in the running of the building; any material in the place, any form of urban energy, could be integrated into the project.***

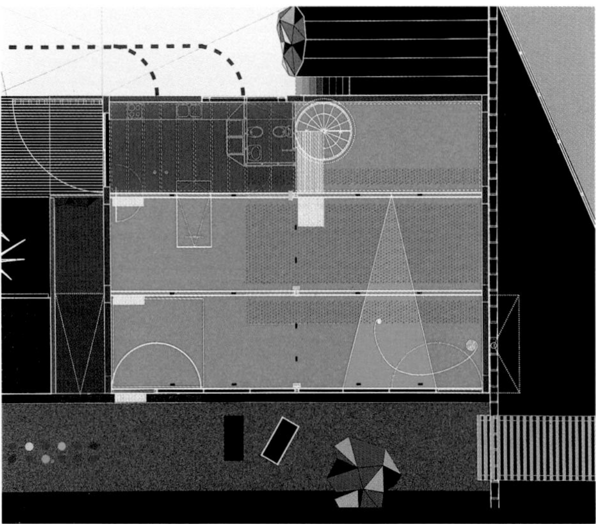

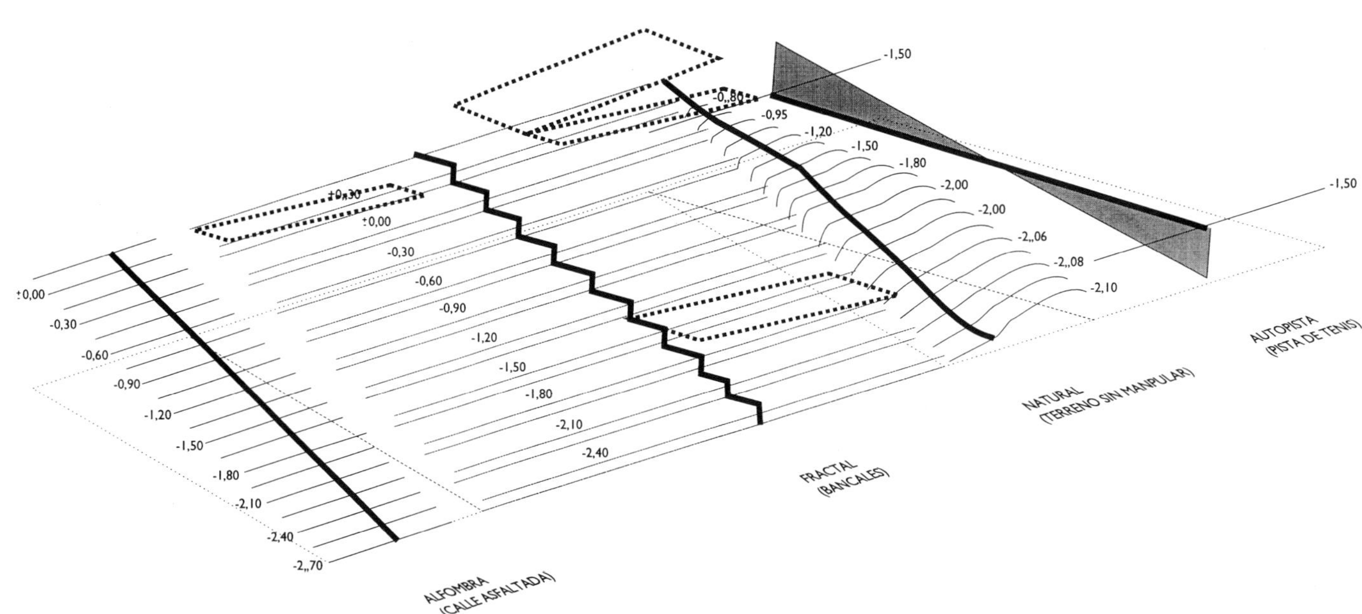

Vivienda unifamiliar VICENTE GUALLART ***El análisis del paisaje y de sus elementos naturales es el origen de este proyecto. De ello han dependido la elección de los materiales y la distribución del programa y de las circulaciones. Los usos se desarrollan en sección; el subsuelo introducido en la tierra, y la cubierta, en contacto con el cielo, son espacios a utilizar con la misma intensidad que el nivel del terreno natural. A partir de una forma simple en planta, el edificio se organiza mediante la superposición de capas que tienen una naturaleza propia. Los espacios de esta vivienda se entienden como vacíos ocupados por objetos multifuncionales, que, en ocasiones, convierten todo el interior en un mueble. La acumulación y la concentración permiten optimizar recursos en el funcionamiento del edificio; cualquier material del lugar, cualquier energía urbana, es suceptible de integrarse en el proyecto.***

El Centre de Cultura Contemporània de Barcelona de Viaplana y Piñón y* La Grande Arche *de Von Spreckelsen proponen nuevas escalas de lectuta de la ciudad y del emplazamiento

Viaplana and Piñón´s Centre de Cultura Contemporània de Barcelona *and Von Spreckelsen´s* Grande Arche *propose new scales to read the city and the site*

CCCB, Centre de Cultura Contemporània de Barcelona *ALBERT VIAPLANA, HELIO PIÑÓN* ***" El Pati de les Dones" comprises three U-shaped double-bayed bodies -ground floor, basement and three floors-. The programme required a large entrance hall and an important body for vertical circulations with lobbies on each floor to access the exhibition halls on the second and third floors. As it was decided to maintain the character, the structure and the use of the patio, the only possible places left in which work was possible were the basement and the open side of the U. The design limited itself, therefore, to an almost independent L-shaped body, formed by the access hall and the core of the vertical circulation, which interlocked with the spaces that were left free. The line of the cornice on the new building is defined with a slight inflection which starts the gesture of covering the patio. The new pavement, slightly sloping, indicates the presence of the interior hall and the way to access it.***

CCCB, Centre de Cultura Contemporània de Barcelona *ALBERT VIAPLANA, HELIO PIÑÓN* ***El "Pati de les Dones" se compone de tres cuerpos de doble crujía -planta baja, sótano y tres plantas- en forma de "U". El programa exigía un gran hall de entrada y un cuerpo importante de circulaciones verticales y vestíbulos de planta para acceder a las salas de exposiciones situadas en la segunda y tercera plantas. Se decidió conservar el carácter, la estructura y el uso del patio, por lo que solo quedó el sótano y el lado abierto de la "U" como único lugar dónde actuar. El proyecto se limita, pues, a un cuerpo en "L", casi independiente, formado por el hall de acceso y el núcleo de comunicaciones verticales, que se encaja en los espacios que el conjunto ha dejado libres. La línea de cornisa se marca en el nuevo edificio con una ligera inflexión que iniciará el gesto de cubrir el patio. El nuevo pavimento en suave pendiente, advierte de la presencia del hall inferior y de la forma de acceder.***

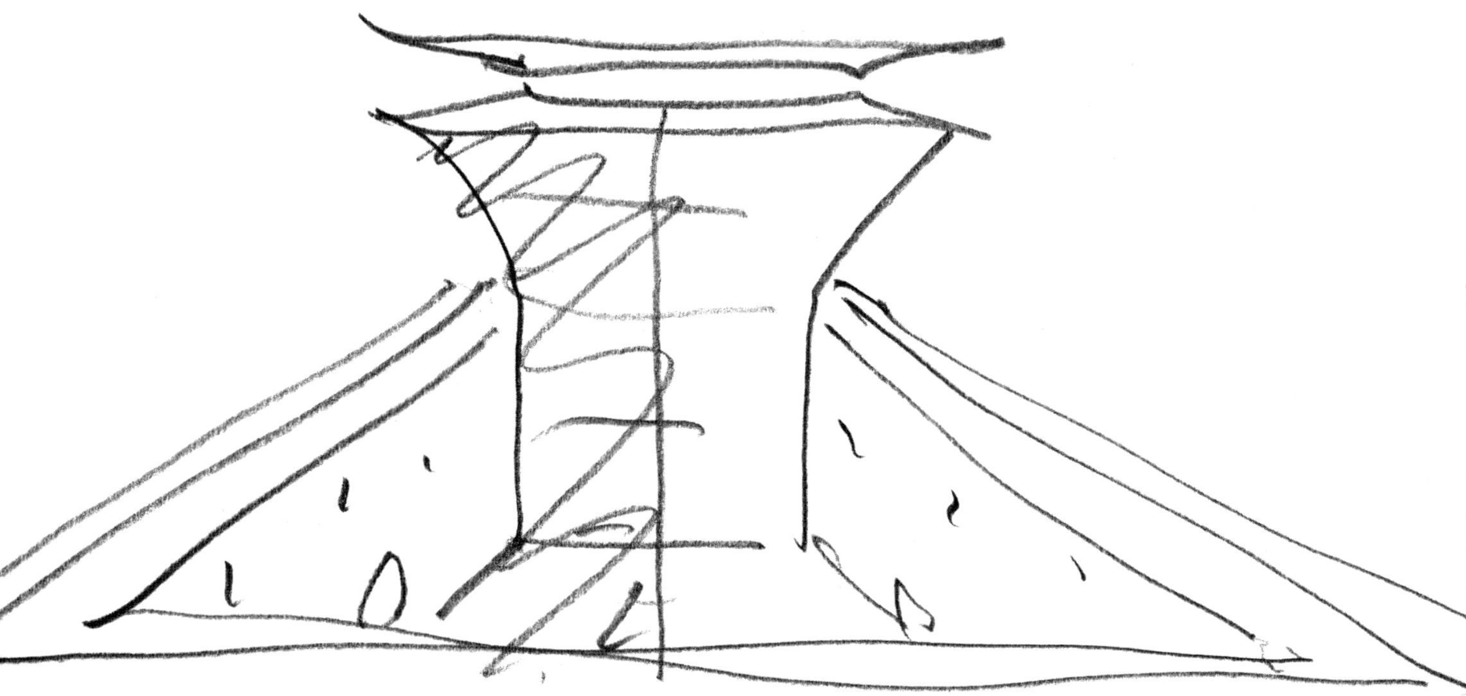

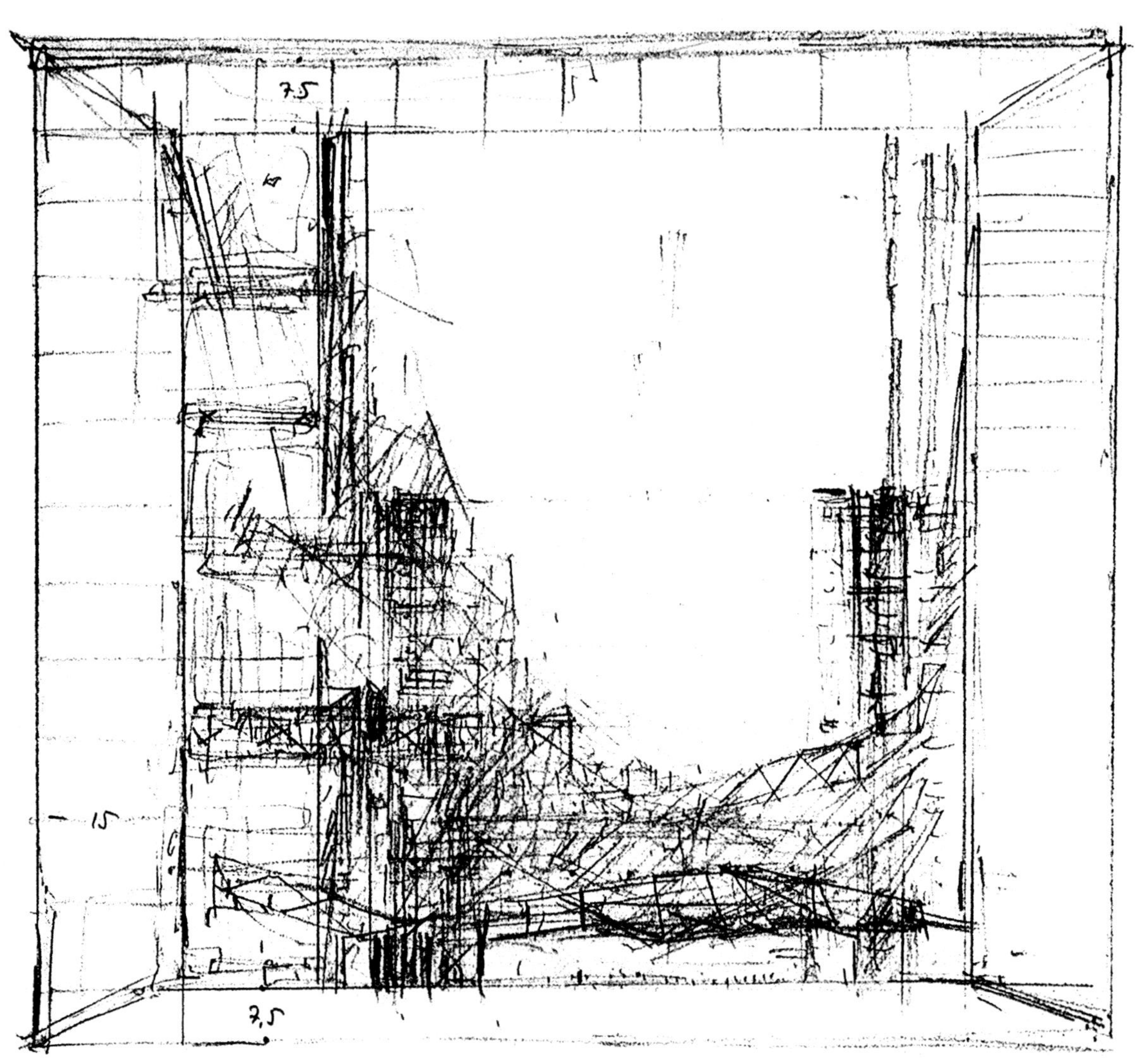
7.5
15
7,5

La Grande Arche *OTTO VON SPRECKELSEN*

Les Quatre Temps
DARTY
C&A

The landscape fights back: notes on some Parisian projects

GERMÁN ADELL

Awareness of the ultimately arbitrary nature of what is real and finite is one of the most outstanding characteristics of our end-of-millennium culture which, for the purpose of my explanation, I will call "post-modern". Two of the defining traits of this contemporary context are "globalization" –understood as the creation and running of the economy as a transnational network– and "internationalization" –the spread around the planet of Western lifestyles, culture and socio-political organization. This economic, social and cultural rearrangement is the object of profuse analysis, with one of the most productive theoretical approaches being that which recognises and goes beyond the traditional omission of the dimension of space in so-called "scientific" descriptions of reality; here I refer, for example, to the work of Edward Soja or David Harvey. Extremely important changes are taking place at a territorial level: the emergence of new ways of perceiving and inhabiting the territory (no longer just the city) is producing a crisis in the traditional object-context, centre-outskirts, urban-rural categories. New local identities –superposed on a virtual, relatively undifferentiated global network– are calling for different approaches to the problem of territories in the great metropolises; from this point of view, these territories are not merely the prime place for accelerated social and economic transformation, they also represent an epistemological problem which requires careful study by social sciences and architecture and urban design alike.

The hypothesis that there are new territorial dimensions to go with these "new landscapes" brings under the spotlight the question of contemporary deterritorialization –a phenomenon attendant on globalization–, understood as the loss of anchorage and identity of the surrounding local space to a global space which is supposedly homogeneous, undifferentiated, virtual.

Yet we must not forget that the perceptions of the territory send us back to the creation of registers of meaning or systems of representation which, despite the interference of the media, are superposed on habitus and mental tools which are local, given that for each culture –and as a result of their evolution– they organize how the spaces and lifestyles developed within them are perceived.

If we follow this line of thought, we could say that some of the buildings or urban projects in this exhibition are an exceptional response, not just to the more evident "local" level, but also to a "global" level: their landscape, their context, is not just their immediate surroundings, the "local"; it is a "teletopos" which, though virtual, is more real than things closer at hand. It is the world.

The strategies for ensuring that a work connects with both the local and the global in its actual context are many and varied, as we will go on to see. Nonetheless, I would not argue so much that these are deliberate strategies on the part of the architects involved as that they are a "real" interpretative readings of the architectures in question. If we are to follow my line of argument, in the first two, the local-urban (Nouvel) and the local-regional (Perrault) may appear to take on more importance than the global-worldwide. I will try to show how the "landscape manipulation" to which the two buildings in question are submitted, in completely dyssymetrical ways, contains a clear reference to a post-modern, absolutely cosmopolitan "state of things" which outstrips any reductionistic or localistic interpretation.

You might be justified in arguing that the two buildings per se, bearing in mind their functions and principals, are in fact primarily aimed at the world. In this case, it is worthwhile remembering the reversibility of the argument, given my suggestion that these buildings' extraordinary quality lies above all in their double response to these questions in terms of the relation they establish with the landscape.

And it is a landscape which –as we will see later– is becoming increasingly autonomous of the projects analysed here. From the violent typological destabilization of the local to create greater adhesion to the global in Koolhaas' project; passing through Von Spreckelsen's extraordinary vision which provides an unexpected solution to an old symbolic, regional problem by the addition of a universal dimension; to the unfinished project by Chemetov and Huidobro for the continuation of the Axe de La Défense. Beyond the evident virtues of its conception, it is the project itself which brings us face to face with the crisis of the possibility –as regards the action of architecture or urban design on new landscapes– of dominating them, projecting them or simply prefiguring them (its historical vocation) as its complexity mounts.

The building for the Cartier Foundation has received unanimous praise for its sensibility, inventive capacity and rigour in resolving the problem of

La venganza del paisaje, notas sobre algunos proyectos parisinos

GERMÁN ADELL

La conciencia de la arbitrariedad última de lo real y de la finitud es una de las caractéristicas más sobresalientes de nuestra cultura de fin de milenio, a la cual aplicaré, con fines explicativos, el apelativo de "posmoderna". Es en este contexto contemporáneo dónde la "globalización" -entendida como la constitución y el funcionamiento de la economía en forma de red transnacional- y la "mundialización" -considerada como la difusión a nivel planetario, de los modos de vida, cultura y organización sociopolítica occidentales- son dos de sus características principales. Este reajuste económico, social y cultural está siendo profusamente analizado, siendo una de las vertientes teóricas más productivas aquella que reconoce y supera el olvido tradicional de la dimensión espacial en las descripciones "científicas" de la realidad -me refiero, por ejemplo, a los trabajos de Edward Soja o David Harvey-.

De hecho, se están produciendo cambios importantísimos a nivel territorial : la emergencia de nuevas formas de percibir y habitar el territorio (ya no sólo la ciudad) pone en crisis las categorías tradicionales de objeto-contexto, centro-perferia, urbano-rural. Nuevas identidades locales -superpuestas a una red global virtual y relativamente indiferenciada- demandan otras formas de aproximación al problema de los territorios de las grandes metrópolis, que representan, desde este punto de vista, no sólo el lugar privilegiado de transformaciones sociales y económicas aceleradas, sino un problema epistemológico que requiere una gran atención, tanto de parte de las ciencias sociales como de la arquitectura y el urbanismo. La hipótesis de que existen nuevas dimensiones territoriales que acompañan la aparición de "nuevos paisajes" pone en terreno de debate la cuestión de la desterritorialización contemporánea -fenómeno concomitante a la globalización- entendida como pérdida de anclaje y de identidad respecto al espacio local-próximo en favor de un espacio global supuestamente homogéneo, indeferenciado y virtual.

Pero, por otro lado, no debe olvidarse que las percepciones del territorio remiten a la constitución de registros de sentido o sistemas de representación que, aún siendo influidos por los mass media, se superponen a *habitus* y útiles mentales. Estos tienen mucho de local, puesto que organizan, para cada cultura y como resultado de su evolución, la manera de percibir los espacios y los modos de vida que se desarrollan en ellos.

Siguiendo esta dirección de pensamiento, podría decirse que algunos de los edificios o proyectos urbanos que componen esta exposición, responden de manera excepcional no solo al plano "local" más evidente, sino a un plano "global": su paisaje, su contexto, no es únicamente el inmediato, el "local", sino que es un *tele-topos*, que, aunque virtual, es más real que aquello más próximo. Es el mundo.

Las estrategias para lograr que una obra dialogue a la vez con lo local y lo global en el contexto actual pueden ser múltiples y variadas, como veremos a continuación. Lejos estoy sin embargo de argumentar tanto que estas sean deliberadas por parte de los arquitectos involucrados, como de que sean una lectura interpretativa "verdadera" de las arquitecturas en cuestión.

Es posible que lo local-urbano (Nouvel) o lo local-regional (Perrault) parezcan adquirir mayor importancia que lo global-universal.

Pero trataré de demostrar que las "manipulaciones paisajísticas" a las que los dos edificios en cuestión están sometidos, por caminos totalmente disimétricos, tienen como claro referente un "estado de las cosas" posmoderno y absolutamente cosmopolita, que sobrepasa ampliamente cualquier lectura reductora o localista.

Podría argumentarse legítimamente que ambos edificios per se, habida cuenta de sus funciones y comitentes, son, de hecho y primariamente, edificios dirigidos al mundo. En este caso cabe recordar la reversibilidad del argumento, ya que planteo que la extraordinaria calidad de estos edificios proviene, sobre todo, de su doble respuesta a esas instancias en su nivel de relación con el paisaje.

Paisaje que, como veremos más adelante, se autonomiza cada vez más en los proyectos que son analizados a continuación. Desde la violenta desestabilización tipológica de lo local para una mejor adhesión a lo global del proyecto de Rem Koolhaas, pasando por la visión extraordinaria de Von Spreckelsen para resolver de manera inesperada un viejo problema simbólico y regional agregando la dimensión universal, hasta el proyecto inconcluso de Chemetov y Huidobro para la continuidad del Grand Axe de La Défense. El mismo, más allá de las virtudes evidentes de su concepción, nos pone frente a la crisis de la posibilidad misma –frente a los nuevos paisajes y por parte de la arquitectura o el urbanismo– de dominarlos, proyectarlos o simplemente, pre-figurarlos (como ha sido su vocación histórica) a medida que aumenta su complejidad .

insertion into a highly complex urban context, taking in the problems of existing urban fabric and, above all, a space which was already landscaped with several century-old trees.

Nouvel's building is poised respectfully, in its own way, among these trees, using screens to follow the alignment of existing facades and make up their height, reflecting and revealing the park in which it is set and making an architectural statement about the modernity of its materiality and the transparency of its function.

On a second reading, the Cartier Foundation building transforms the existing plant landscape into an artificial one by posing as a highly technological apparatus (metal, glass, tensors, sunshades, computers) among the trees in an exercise of technical-ecological hypercontextualism which suits Jean Nouvel well (look at his building for the Institut du Monde Arabe, also in Paris). The transparent screens show off the existing greenery, embracing it with their artificiality. The trees become "hyper-real" –that is, realer than real. All the more so in that –legend has it– the trees were planted by Chateaubriand himself.

The building asserts itself in its intrinsic materiality as a "work of art", in this way legitimizing its artificial, skillful operation with the landscape. The perfection of resolution of the relation between the building and its setting –both urban and plant-life– ultimately throws into question the logical time sequence of construction: which came first, Chateaubriand's trees or Nouvel's classically "atemporal" building?

A mise en abîme of time which addresses the "real" nature of the local landscape and makes the building a "subversive" landmark, on a secondary level, as regards its insertion into the context. This is an additional virtue of Nouvel's building: this added destabilizing dimension is a "plus" which guarantees its legitimacy as a work of art, its universal dialoguing capacity and its durability in comparison with the key works of its time.

This, taken to the point of frenzy, is precisely what happens with the indoor garden of Dominique Perrault's Bibliothèque Nationale.

The difference here is that instead of finding an existing historical landscape –like the trees at the Cartier Foundation–, Perrault literally invents one to fit the brief's needs for "seclusion", conscious of the legitimacy of the operation in a world which has been won over to simulacra.

Out of nothing, the architect builds an ideal bucolic scene followed by a succession of reading rooms in an exact piece-by-piece recreation of a part of the forest of Fontainebleau (in the region of Paris), respecting its ecosystem down to the last worm.

This hyper-real park has been declared a national "work of art". A work of extreme artificiality which, in a whirl of technological profusion, tells us of France's position at the forefront of the scheme of "internationalization" which we are living in and particularly the extreme deterritorialization which goes with it. A patch of Fontainebleau forest in the middle of Paris? Why not, if we can afford it?

But beside the Library flows the Seine, and Perrault, with the scale of his building and the huge platform-plaza which supports his four towers and houses its own wood, does no more than was reasonable to expect: he aligns his building with the river's course, creating a large public space to pay homage to the river and all Paris. Really we could almost say that with the exception of the building's section –which prefigures the urban operation which will one day follow; a huge platform to completely cover the rail tracks, which the city will grow over–, the "Very Big Library" is almost autonomous, creating as it does its own "hyperreal landscape" inside. Ultimately we might say that the Seine is there not by virtue of Perrault's project, but as a result of a posthumous legacy by Mitterand.

But let us not forget that what Perrault surely understood was that the fact that the Seine is there as a fantastic landscape counterpoint and an absolute justification of that other fantastic idea of recreating that patch of wood in the middle of Paris.

Rem Koolhaas, on the other hand, does not create a suitable landscape within his project; with recourse to a technology which sets itself up as a symbol of itself and the ideological standpoint of the architect ("modern" but cheap materials, a cheap & kitsch aesthetic, ascetic construction taken to the limits of the acceptable), his building produces a fierce counterpoint to the bourgeois context of the "noble" stone-built, pure *Îlle-de-France* villas around it. In this sense, the Villa Dall'Ava puts us in mind of Beaubourg: like Piano & Rogers' inspired building, it sets itself up as a "monument" (stretching the purest Rossian sense of the word to its limits) and by its mere presence creates a new semantic context for the entire antithetical landscape that surrounds it.

The Villa Dall'Ava overcomes any semantico-contextual temptation with its immediate landscape. While it is true that this type of "liberating" posture is typical of the projects of an ever more subversive Koolhaas, it must be said here that given the ultra-conditioning social and physical factors, perhaps the most liberating attitude in play is that of the enlightened principal who not only dared to request Koolhaas' services, but

El edificio de la Fondation Cartier ha sido unánimemente elogiado por su sensibilidad, capacidad inventiva y rigor a la hora de resolver el problema de su inserción en un contexto urbano altamente complejo, incorporando la problemática del tejido urbano existente y, sobre todo, de un terreno ajardinado previamente, con algunos árboles centenarios.

El edificio de Nouvel se posa respetuosamente, a su manera, entre esos árboles, se alinea con las fachadas existentes gracias a las pantallas que restituyen la altura de la edificación, refleja y transparenta el parque que lo rodea y enuncia la modernidad de su materialidad y a la transparencia de su función.

En una segunda lectura, el edificio de la Fondation Cartier transforma el paisaje vegetal existente en artificial, al posarse como aparato altamente tecnológico (metal, cristal, tensores, parasoles, ordenadores) entre los árboles, en un ejercicio de hiper-contextualismo técnico-ecológico que caracteriza bien a Jean Nouvel (ver su edificio del Institut du Monde Arabe, también en París). Las pantallas transparentes dejan ver el verde existente y lo abrazan con su artificialidad. Los árboles devienen "hiperreales", es decir, más reales que lo real. Tanto más que, se dice, habrían sido plantados por el mismo Chateaubriand.

El mismo edificio se impone en su materialidad intrínseca como "obra de arte" y es en este sentido que legitima su operación artificial y artificiosa con el paisaje. La perfección de la resolución de la relación entre el edificio y su entorno -urbano y vegetal- hace, en última instancia, dudar de la secuencia temporal lógica de la construcción : ¿ qué fue primero, los árboles de Chateaubriand o el edificio clásicamente "atemporal" de Nouvel ? *Mise en abîme* temporal que interpela el carácter "real" del paisaje local y convierte el edificio en un hito "subversivo", en segundo grado, respecto a su inserción contextual. He aquí una virtud suplementaria del edificio de Nouvel : esta dimensión desestabilizadora añadida es un "plus" que garantiza su legitimidad en tanto que obra de arte, su capacidad de diálogo universal y su perdurabilidad, dentro del conjunto de obras claves de su tiempo.

Esto, llevado al paroxismo, es lo mismo que sucede con el jardín interior de la Bibliothèque Nationale de Dominique Perrault. La diferencia aquí es que, en lugar de encontrar un paisaje histórico existente -como los árboles de la Fondation Cartier- Perrault lo inventa literalmente siguiendo las necesidades de "reclusión" de su programa, consciente de la legitimidad de la operación en un mundo conquistado por los simulacros.

El arquitecto construye ex-nihilo un escenario bucólico ideal en torno del cual sus salas de lectura se sucederán, recreando exactamente, elemento por elemento, un trozo del bosque de Fontainebleau (en la región de París) con su ecosistema respetado hasta el último de sus gusanos. Este parque hiperreal ha sido declarado "obra de arte" nacional. Obra de artificialidad extrema que da cuenta, en una pirueta de derroche tecnológico, del lugar preponderante que ocupa Francia en el esquema de la "mundialización" en el cual vivimos, y, sobre todo, de la extrema desterritorialización que lo acompaña. ¿Un trozo del bosque de Fontainebleau en medio de París ? ¿ Porqué no, si podemos pagarlo?

Pero al lado de la biblioteca está el Sena, y Perrault, con la escala de su edificio y la gigantesca plataforma-plaza que sostiene sus cuatro torres y aloja su propio bosque, no hace más que lo que era razonable hacer: alinear su edificio con su cauce, crear un gran espacio público para rendir homenaje al río y a todo París. En realidad podría argumentarse que, salvo por la sección del edificio, -que prefigura la operación urbana que un día lo seguirá, una gigantesca plataforma que cubrirá por completo las vías del tren y sobre la cual la ciudad crecerá- la "Muy Grande Biblioteca" es casi autónoma, ya que recrea su propio "paisaje hiperreal" en su interior. En última instancia, podría también pensarse que el hecho de que el Sena esté allí no es virtud del proyecto de Perrault, sino el resultado de un legado póstumo de Mitterrand.

Pero no olvidemos que lo que Perrault ha comprendido seguramente es que el hecho de que el Sena esté allí representa un formidable contrapunto paisajístico y una justificación absoluta a la finalmente también formidable idea de recrear ese pedazo de bosque en el medio de París.

Rem Koolhaas, al contrario, no recrea, en el interior de su proyecto, un paisaje adecuado, sino que, apelando a una tecnología que se erige en símbolo de sí misma y de la postura ideológica del arquitecto (materiales "modernos" pero baratos, estética *cheap & kitsch*, construcción ascética al límite de lo aceptable) posa su edificio en un contrapunto feroz al contexto burgués de las "nobles" villas de piedra del más puro estilo *Île-de-France* que lo rodean. En este sentido, la Villa Dall'Ava hace pensar en seguida en Beaubourg : como el genial edificio de Piano y Rogers, se erige en "monumento" (llevando a sus límites el más puro sentido rossiano del término) y "resemantiza" todo el paisaje antitético que lo rodea con su sola presencia. En efecto, la Villa Dall'Ava se sobrepone a toda tentación semántico-contextual con su paisaje inmediato. Si bien es cierto que este tipo de postura "liberadora" es típica de los proyectos de un Koolhaas cada vez más subversivo, cabe señalar aquí que, dado el contexto social y físico ultra-condicionante, quizás la mayor actitud liberadora en este caso esté de parte del comitente esclarecido que no sólo se atreve a solicitar los servicios de Koolhaas, sino a vivir en una "casa manifiesto" de funcionamiento y estética desestructurados y desestructurantes.

also to live in a "manifesto-house" of destructured, destructuring running and aesthetics.

As regards landscape, this house is indeed a manifesto in the sense that it points up the ultimately arbitrary nature of a historical, socially constructed landscape. While the environs of the Villa Dall'Ava are no less artificial and arbitrary than the house itself, historical accumulation, social reification and the spatial deployment of a given architectural typology mean that this landscape, which has nothing natural about it, is nonetheless perceived and experienced as a "second nature".

What Koolhaas achieves with an efficiency and simplicity worthy of the best Borges short story is to show, with his work as the only evidence, that the "present" is just one possible configuration, one of the paths of the Chinese garden which is the result of the sum, at each fork, of decisions ruled to a large extent by chance. And if the present is arbitrary, then "here" may be, too. To my mind, this is the real significance of the idea of "deterritorialization". If Borges, in *El jardín de los senderos que se bifurcan* (*The Garden of Forked Paths*), concentrated most on the infinite possibilities of time, we only have to remember *El Aleph* to spatially understand how the Villa Dall'Ava dialogues with its "distant" landscape: the entire city of Paris, that backdrop and horizon of cosmopolitan understanding, to which it reaches out through an intricate domestic course which contains much that is mystical and purifying.

Von Spreckelsen was surely following this line of thought when he put forward his Arche as "a great window on the world" situated on the historical axis –almost 800 years old– which joins the Louvre to La Défense, via the Tuileries, the Place de la Concorde, the Champs Elysées and the Arc de Triomphe, to name just the best-known landmarks. "The short history" of subsequent projects to "close the axis" is interesting in that it shows us how, due to a sum of decisions at different times and the proposals chosen at each moment, the question of finishing off the axis was barely considered in any terms other than to close off its path, at its least symbolic point.

When, with time, it passed the Porte Maillot, the Pont de Neuilly and reached La Défense, Paris had already acquired its own Manhattan, if not on an island in the Seine, at least on its bank. What the Fifth Republic sought with dignity until Mitterand came into play was really to control the uncontrollable, to finish the infinite.

A territorial paradigm of the garden *à la française*, of control and mastery of nature, the historical-heritage and geographical aspect of the Axis was blatantly obvious to both the state principal and almost all the architects taking part in the competition. So what has Spreckelsen's project got that the others haven't? Obviously, the fact that it does not close the axis, and in this it is not only the most categorical, it is also the only project to use the theme of composition to transform this question.

Once again, on an infinitely larger scale, here we find the global dimension added on top of the local. And this is what makes the work of L´Arche so impressive, and sets it up as a real symbol of the coming century. In addition to reading the little plaque which explains about the serpentine meridian passing beneath the arch and joining some of the world's great cities, the visitor is obliged to first turn around and look at the landscape of the axis-city-monument –in short, the city of Paris. But he immediately feels compelled to cross the huge platform and see what is on the other side. The axis inevitably continues, exploding into a new landscape which it carries on in the form of the rotula of L´Arche, in an almost initiatory passage: historical city meets future city; the one that starts on the outskirts.

So to the east of L´Arche stands the historical city; dense, homogeneous, compact and mineral, while to the west, the Parisian banlieue; destructured, chaotic, heterogeneous and complex, opens up, calling on the theory and practice of urban design and demanding a new capacity to see its landscape. Calling on nature, or at least on the representations we make of it at this end-of-century, to structure new peripheral urban forms. If the problem of centrality has now found better resolutions (and the projects of Nouvel and Perrault are proof of that), the question of the periphery calls for our careful attention.

In this sense, the operation of the Grand Axe de La Défense –precisely to the west of L´Arche–, which arose out of an ideas competition which was won by Chemetov and Huidobro, is exemplary.

While Chemetov and Huidobro's project is rich as regards the two aspects we have been analysing in these interventions, the problem had already been well analysed by the conditions of the competition. The questions were the right ones, and the focus of the consultation was the institution of the city in the future. The problems appearing here relate to the limits of the large-scale project, or urban design plans.

The complexity of the urban condition and the multiplicity of interests at play in each intervention make it increasingly difficult to give projects

En el plano del paisaje, esta casa es efectivamente un manifiesto, en el sentido que pone en evidencia la arbitrariedad última de un paisaje histórica y socialmente constituido. Si bien los alrededores de la Villa Dall'Ava no son menos artificiales y arbitrarios que ella misma, la acumulación histórica, la reificación social y el despliegue espacial de una tipología arquitectónica dada, hacen que este paisaje, que no es nada natural, sea sin embargo percibido y vivido como una "segunda naturaleza".
Lo que Koolhaas logra con una eficacia y sencillez digna de los mejores relatos de Borges, es demostrar con la sola evidencia de su obra, que el "presente" es sólo una de las configuraciones posibles, uno de los senderos del jardín chino que resulta de la suma, en cada bifurcación, de decisiones en las que el azar tiene mucha importancia. Y si el presente es arbitrario, el "aquí" también puede serlo. Este es, a mi criterio, el verdadero alcance de la idea de "desterritorialización". Si Borges pensó, en *El jardín de los senderos que se bifurcan*, en las infinitas posibilidades temporales, basta recordar *El Aleph* para comprender cómo dialoga la Villa Dall'Ava con su paisaje "lejano" : la ciudad de París entera, telón de fondo y horizonte de sentido cosmopolita al que se accede a través de un intrincado recorrido doméstico que tiene mucho de místico y de purificador.
Von Spreckelsen seguía seguramente esta línea de pensamiento cuando propuso su Arche como "una gran ventana abierta al mundo" sobre el eje histórico de casi 800 años que une Le Louvre con La Défense a través de Les Tuileries, La Concorde, los Champs Élysées, el Arc de Triomphe, por citar sólo los hitos más importantes. La "pequeña historia" de los sucesivos proyectos para "cerrar el eje" presenta el interés de mostrarnos cómo, por una suma de decisiones en distintos tiempos y por las propuestas retenidas en cada momento, la cuestión del remate del eje ya no se planteaba casi en otros términos que en los del cierre, cuando menos simbólico, de su camino.
Luego de que con el tiempo se pasara la Porte Maillot, el puente de Neuilly y se llegara a La Défense, París se había ya dotado de su propio Manhattan, sino en una isla del Sena, al menos a su lado. Lo que la Quinta República buscaría dignamente hasta la entrada en juego de Mitterrand sería en realidad controlar lo incontrolable, terminar lo infinito.
Paradigma territorial del jardín à la française, del control y el dominio de la naturaleza, la dimensión histórico-patrimonial y geográfica del eje era tan evidente tanto para el comitente estatal como para casi todos los arquitectos que participaron en el concurso. ¿Cuál es entonces el plus del proyecto de Spreckelsen? Obviamente, el no cerrar el eje, por lo que es, no sólo el más decidido, sino el único proyecto que transforma esta cuestión desde el tema de su composición.
Una vez más, a una escala infinitamente mayor, encontramos aquí la dimensión global superpuesta sobre la local. Y esto es lo que hace la obra de L'Arche tan impresionante y la erige en un verdadero símbolo del próximo siglo. Más allá de la plaqueta que explica que el meridiano serpenteante pasaría por el arco y uniría algunas grandes ciudades del mundo, el visitante se ve obligado a darse vuelta para ver, primero, el paisaje del eje-ciudad-monumento y, después, la ciudad de París. Sin embargo, enseguida se siente compelido a atravesar la gigantesca plataforma y ver qué hay del otro lado, en un pasaje casi iniciático. Indefectiblemente, el eje continúa y explota en un nuevo paisaje, confrontando, a través de la rótula de L'Arche, la ciudad histórica con la ciudad futura, aquella que comienza en la periferia.
Así, al este de L'Arche queda la ciudad histórica, densa, homogénea, compacta y mineral, mientras que al oeste, la banlieue parisina desestructurada, caótica, heterogénea y compleja, se abre interpelando la teoría y la práctica del urbanismo y solicitando una nueva capacidad para ver su paisaje. Reclamando de la naturaleza, o por lo menos de las representaciones que nos hacemos de ella en este fin de siglo, el ser la estructuradora de la nuevas urbanidades periféricas. Si el problema de la centralidad está ahora mejor resuelto (y los proyectos de Nouvel y Perrault lo demuestran), el de la periferia reclama la más profunda atención.
En este sentido, la operación del Grand Axe de La Défense, precisamente al oeste de L'Arche, que dio origen al concurso de propuestas ganado por Chemetov y Huidobro, es ejemplar.
Por un lado, si bien el proyecto de Chemetov y Huidobro es muy rico en los dos niveles en los que venimos analizando las intervenciones, el análisis del problema ya era muy adecuado desde el propio planteamiento del concurso : las cuestiones eran las pertinentes y el centro de la consultación se centraba en la institución de la ciudad en el futuro. Los problemas que aparecen aquí conciernen los límites del proyecto de gran escala, o de los planes de urbanismo. La complejidad del hecho urbano y la multiplicidad de intereses que están en juego en cada intervención hacen cada vez más difícil la concreción de proyectos tal y como son pensados, si éstos no incorporan la dimensión temporal, no dejan márgenes de indeterminación previendo acontecimientos inesperados y si no tienen en cuenta, en fin, las lógicas de los distintos actores involucrados en las operaciones y las relaciones de poder que existen entre ellos.

their conceived form, if they do not include the dimension of time to leave a margin for indetermination and the unexpected, and if they do not take into account the logics of the various agents involved in the operations and the power relations existing between them.
Most of the responses to the international consultation somehow or other incorporated the idea of nature as the structure of the project. "Naturized" or "naturizing" nature, set up as a monument to its representation or "invited" by paradigmatic elements, such as "woods", "water courses", "valleys", etc. into the composition to create a territorial and particularly a symbolic link between the Seine and the Seine –that is, the start of La Défense with the western meander of the river, two kilometres from L´Arche.
Chemetov and Huidobro's proposal introduces this nature resolutely into the composition of their landscape and seeks the laws to generate the composition in the territory while it approaches in nuce the dissolution of the axis in the magma of the surrounding territories. It proposes extending the Nanterre woods to L´Arche via a winding, green "urban valley", with the compact city solidifying around its edges.
The unfinished configuration of the proposal first of all points up the political limits of this type of major urban project. After an unsuccessful attempt at joint venture (on the recommendation of the principal organization) between the winning team and the two runners-up, Chemetov and Huidobro were granted just the execution of the first part of the Grand Axe (what the finished form will be no-one knows for certain) in the form of a commission for the Jardins de L´Arche, covering four hectares between the Puteaux and Neuilly cemeteries. A metal footbridge (the Jetée) is thrown across the "naturized" landscape of the periphery to finish in a void, provoking reflection on these new territories.
A sign perhaps of the architects' inability to come to grips with the complex urban development process, but particularly of the end –foretold some time ago– of one way of planning the city (in more or less larvate form or directly explicit) on the basis of a tabula rasa, be it physical, political, social, cultural or economic. The limits of the urban project become quite clear in this case.
Landscape is showing that it is not a backdrop against which to place certain architectural "pieces" which will endow it with meaning. It is not a passive element to be arranged by geometries, however elaborate. The landscape –particularly today's "new landscapes"– being produced beyond the historical city centre is bringing to crisis point both the old theoretical paradigms such as city-countryside and centre-outskirts, and operative instruments like the Plan and even the Project.
If the Plan represents regulations and control of the territory on the basis of a series of more or less (in)flexible aims and the Project is the prefiguration of a ready-defined object, both mechanical, despite recently incorporated up-dates (strategic plans, interventions by project as opposed to plans, actor strategies, etc.), their capacity to respond to present-day needs for spatial intervention is falling increasingly short of the mark.
The urban (suburban?) operation of the future has to leave a great deal of scope for the unpredictable. What is more, the logic of the unpredictable in a non-linear development over a period of time must, necessarily, become if not the leitmotif of interventions, at least a part of the everyday conceptual arsenal of the meta-disciplinary operators (I have purposely not used the words architect, urban designer and particularly planner). A sensitive, creative administration of chaos will probably be imposed as the most effective way of acting on new territories.
In the case of the Grand Axe de La Défense, after 800 years of being dominated, exploited, destroyed, arranged, subjected to geometry, it is the landscape itself which is fighting back against a way of acting on the territory which is as outdated as the form of the logos which sustains it. The territory is not merely an inert abstraction of the plane awaiting its fate at the hands of economic agents or planners.
While it is true that how the landscape is seen by the disciplines which act upon the territory on various scales (architecture, urban development, geography) is changing apace, this movement is not keeping up with the social practices being generated in it day by day. These practices both call for and exercise rights over an "urban form" which is becoming more and more different from the classical spatial typologies which housed it for centuries; from the Greek agora to the Champs Elysées: conditions for the possibility of co-existence burst forth in countless new alternatives ranging from mega-shopping centres, hypermarket car parks or simply a large empty plot of land or a field near the suburban house of millions of commuters across Europe and North America, to the virtual spaces of the Internet Relay Chat, Newsgroups or other telepolitan cyberspaces.
The sooner architecture and urban design respond to these changes and propose appropriate forms of integration into these processes (see for instance Florian Beigel's excellent project on the outskirts of Leipzig), the better the spatial products for the environment in which we live will be. It sounds straightforward enough, but the inertia of the old paradigms and sterile debates about the object rather than the "space between the objects" seem at times to obscure the path of a clear-sighted acceptance of the condition of periphery by the majority of our societies.
The only way, perhaps to turn the landscape's revenge to good account.

La mayoría de las respuestas a la consultación internacional incorporaban de un modo u otro la idea de la naturaleza como estructuradora del proyecto. Naturaleza "naturizada" o "naturalizadora", erigida en monumento a su representación o bien "invitada" a través de elementos paradigmáticos, como "bosques", "cursos de agua", "valles", etc., a participar de la composición, uniendo territorialmente y sobre todo simbólicamente el Sena al Sena, es decir, el comienzo de La Défense con el meandro oeste del río a dos kilómetros de L´Arche.
La propuesta de Chemetov y Huidobro hace entrar resueltamente esta naturaleza en la composición de su paisaje y busca en el territorio las leyes generadoras de la composición, a la vez que plantea *in nuce* la disolución del eje en el magma de los territorios periféricos.
Se propone la prolongación del bosque de Nanterre hasta L'Arche, a través de un "valle urbano", verde y sinuoso, que incorpora una axialidad no rectilínea, mientras que, a sus bordes, la ciudad compacta se solidifica.
La concreción inacabada de la propuesta pone en evidencia, en primer lugar, los límites políticos de este tipo de gran proyecto urbano. Después de un fallido intento de trabajo conjunto (por recomendación del organismo comitente) entre el equipo ganador y los dos equipos que quedaron segundos, a Chemetov y Huidobro se les concedió solamente la ejecución de la primera parte del Grand Axe (cuya forma final nadie conoce a ciencia cierta) en la forma de una comisión sobre los Jardines de L´Arche, sobre un terreno de 4 hectáreas entre los cementerios de Puteaux y Neuilly.
Una pasarela metálica que sale desde L'Arche (la Jetée) se lanza sobre el paisaje "naturalizado" de la periferia y, terminando sobre el vacío, propone una reflexión sobre estos nuevos territorios. Signo quizás de la impotencia de los arquitectos para manejar el proceso complejo de gestión urbana, pero sobre todo del fin (anunciado desde hace tiempo) de una manera de proyectar la ciudad (de manera más o menos larvada o directamente explícita), que se apoya siempre sobre alguna tabula rasa : física, política, social, cultural o económica. Los límites del proyecto urbano se hacen aquí evidentes.
El paisaje está demostrando que no es un telón de fondo sobre el que vienen a posarse ciertas "piezas" arquitectónicas que le darán sentido. No es un elemento pasivo a ordenar con geometrías, por más elaboradas que éstas sean. El paisaje, y sobre todo los "nuevos paisajes" contemporáneos que surgen más allá de la ciudad central histórica, ponen en crisis tanto los viejos paradigmas teóricos como ciudad-campo y centro-periferia, como los instrumentos operatorios del estilo del Plan y aún del Proyecto.
Si el Plan es una instancia normativa y de control del territorio en función de unos objetivos más o menos (in)flexibles y el Proyecto la pre-figuración de un objeto definido anticipadamente, ambas mecánicas, a pesar de las últimas *mises à jour* incorporadas (Plan estratégico, intervenciones por proyectos en oposición a planes, estrategias de actores, etc.), responden cada vez menos a las necesidades actuales de la intervención espacial.
El tipo de operación urbana (¿ suburbana ?) del futuro deberá dejar un espacio muy grande para lo imprevisible. Más aún, la lógica de lo imprevisible en un desarrollo temporal no linear deberá, indefectiblemente, si no constituirse en el leit motiv de las intervenciones, al menos entrar a formar parte del arsenal conceptual cotidiano de los operadores meta-disciplinares (he evitado expresamente las palabras arquitecto, urbanista y sobre todo planificador). Una gestión sensible y creativa del caos se impondrá probablemente como la manera más eficaz de actuar en los nuevos territorios. En el Gran Eje de La Defense, después de 800 años de ser dominado, explotado, destruido, ordenado, geometrizado, es el paisaje mismo el que se toma su revancha contra una manera de actuar sobre el territorio tan caduca como la forma del logos que la sostiene.
El territorio no es una mera abstracción inerte del plano que espera la definición de su destino a manos de los operadores económicos o de los planificadores. Si bien es cierto que la mirada sobre el paisaje por parte de las disciplinas que actúan sobre el territorio a diversas escalas (arquitectura, urbanismo, geografía) está cambiando aceleradamente, este movimiento no es tan rápido como las prácticas sociales que se generan día a día en el mismo. Estas prácticas reclaman y ejercen derechos sobre una "urbanidad" cada vez más alternativa con respecto de las tipologías espaciales clásicas que la albergaron durante siglos, desde el ágora griego a los Champs Elysées: las condiciones de la posibilidad de convivencia eclosionan en una miríada de nuevas alternativas, que van desde los mega-centros comerciales, los aparcamientos de hipermercado o, simplemente, el gran terreno vacío o el campo cercano a la casa suburbana de millones de *commuters* en Europa o en Norteamérica, hasta los espacios virtuales del *Internet Relay Chat*, los *Newsgroups* u otros ciber-espacios telepolitanos.
Contra más pronto reaccionen la arquitectura y el urbanismo a estos cambios y propongan modos adecuados de integrarse a estos procesos (ver por ejemplo el excelente proyecto de Florian Beigel en la periferia de Leipzig) mejores serán los productos espaciales que constirán el entorno en que viviremos. La inercia de los viejos paradigmas y los estériles debates sobre el objeto y no sobre el "vacío entre los objetos", parecen, por momentos, ocultar el camino de una asunción desencantada de la condición periférica de la mayoría de nuestras sociedades. Única vía, quizás, para lograr hacer de la venganza del paisaje un acontecimiento positivo.

Tres propuestas para la ciudad de Bilbao y también para su territorio: El Palacio de la Ópera y de Congresos de Federico Soriano, La ordenación del área de Abandoibarra de Ábalos y Herreros y el Museo Guggenheim de Frank Gehry.

Three projects both for Bilbao and its territory: The Opera and Congress Centre from Federico Soriano, the Abandoibarra Area from Ábalos y Herreros and the Guggenheim Museum from Frank Gehry.

The Opera House and Congress Centre FEDERICO SORIANO, DOLORES PALACIOS ***Bilbao's river was not a static, merely adapting element, but it is a dynamic one. That is, its image lies in the fact that is pure action and our project should therefore take into account a constantly changing form, or at least a form which was frozen at one moment of its formation.***

A formless form, if we may resort to repetition. An object which appears to be in a permanent state of constrution, not an object which is, in itself, complete and perfectly finished off. The image of the river is the image of activity and construction.

Its urban skyline –if we can call it that– is a constantly changing one.

The Opera House and Congress Centre emerges like the vast wreck of a ship, a phantom vessel built a long time ago in the old **Astilleros Euskalduna** ***and since abandoned to a murky burial in the river.***

Palacio de la Ópera y de Congresos *FEDERICO SORIANO, DOLORES PALACIOS* ***La ría de Bilbao no es un elemento estático, tan sólo conformador, sino que es un elemento dinámico. Esto es, su imagen reside en que es pura acción y, por tanto, nuestro proyecto debería tener presente una forma en constante cambio, o por lo menos una forma congelada en un momento de su formación. Una forma sin forma, valga la redundancia. Un objeto que pareciera en permanente construcción, no un objeto acabado en sí mismo y perfectamente rematado. La imagen de la ría es la imagen de la actividad y de la construcción.***

Su perfil urbano, si se pudiera llamar de esta manera, es un skyline en continuo cambio. El Palacio de la Ópera y de Congresos aparece como los gigantescos restos de un barco, un buque fantasma, que debió construirse hace ya tiempo en los antiguos Astilleros Euskalduna y que, abandonado, quedó enterrado en el fondo fangoso de la ría.

The Guggenheim Museum FRANK GEHRY ***The site is a prominent location at the edge of the river bank where the main vehicular bridge crosses. It is very close to the major business district of the city, which was created on a nineteenth-century grid. Connections to the city via tree-lined walkways and public spaces, plazas and the river front promenade are stressed in the scheme. The scale of the expressed building parts relates to the existing building across the road and the river, while the height of the atrium roof relates to the adjacent roof tops. The tall tower at the east end of the scheme captures the bridge and makes it part of the building composition. Bilbao's river has been very important in its history and is reflected in the introduction of large areas of water in the project.***

Guggenheim Museum FRANK GEHRY ***El museo está situado en un entorno privilegiado, a la orilla del río, junto al puente con mayor tránsito de vehículos, y muy cerca del principal sector comercial de la ciudad, que fue creada a partir de un trazado del siglo XIX. El proyecto pone el acento en las conexiones con la ciudad, mediante vías peatonales de tres carriles, espacios públicos, plazas y el paseo junto al río. La escala de las partes más destacadas del edificio guarda relación con las construcciones existentes al otro lado de la calle y el río, mientras que la altura del atrio toma como referencia las cubiertas adyacentes. La elevada torre que queda en el extremo oriental del plano domina el puente y lo integra en la composición del edificio. La introducción de vastas zonas de agua refleja la importancia histórica del río en Bilbao.***

Ordenación del Área de Abandoibarra, Bilbao *IÑAKI ÁBALOS, JUAN HERREROS, PATXI MANGADO, CÉSAR AZCÁRATE*

El nuevo centro representativo de Bilbao se sitúa en su ría, equidistante de sus márgenes, aislado, provocando así nuevas relaciones que conforman una identidad propia: un proyecto retroactivo sobre un marco geográfico. La propuesta para la ordenación del barrio de Abandoibarra no es un proyecto de arquitectura ni una megaestructura, es algo próximo a una sistemática, fabrica las condiciones para que la arquitectura pueda producirse. La frecuencia de los ciclos económicos sugiere operar por fragmentos -sin pérdida ni ganancia de calidad- siempre completos. Insinúa operar con una trama de edificios aislados sin relación funcional ni figurativa, a través de una mecánica de aproximación y rechazo que regula la competencia provocándola en términos arquitectónicos. El espacio público es el resultado de un trabajo sobre el vacío, lo dimensional, la distancia entre las cosas. Los bloques no están quietos, son actuaciones individuales en pugna que se acodan hasta construir un espacio público de sístole/diástole: como los rappers en la pista, se excitan transmitiéndose su energía por movimiento. Tres torres emergentes -instrumentos de navegación- anclan esta trama y su figura sobre la ciudad.

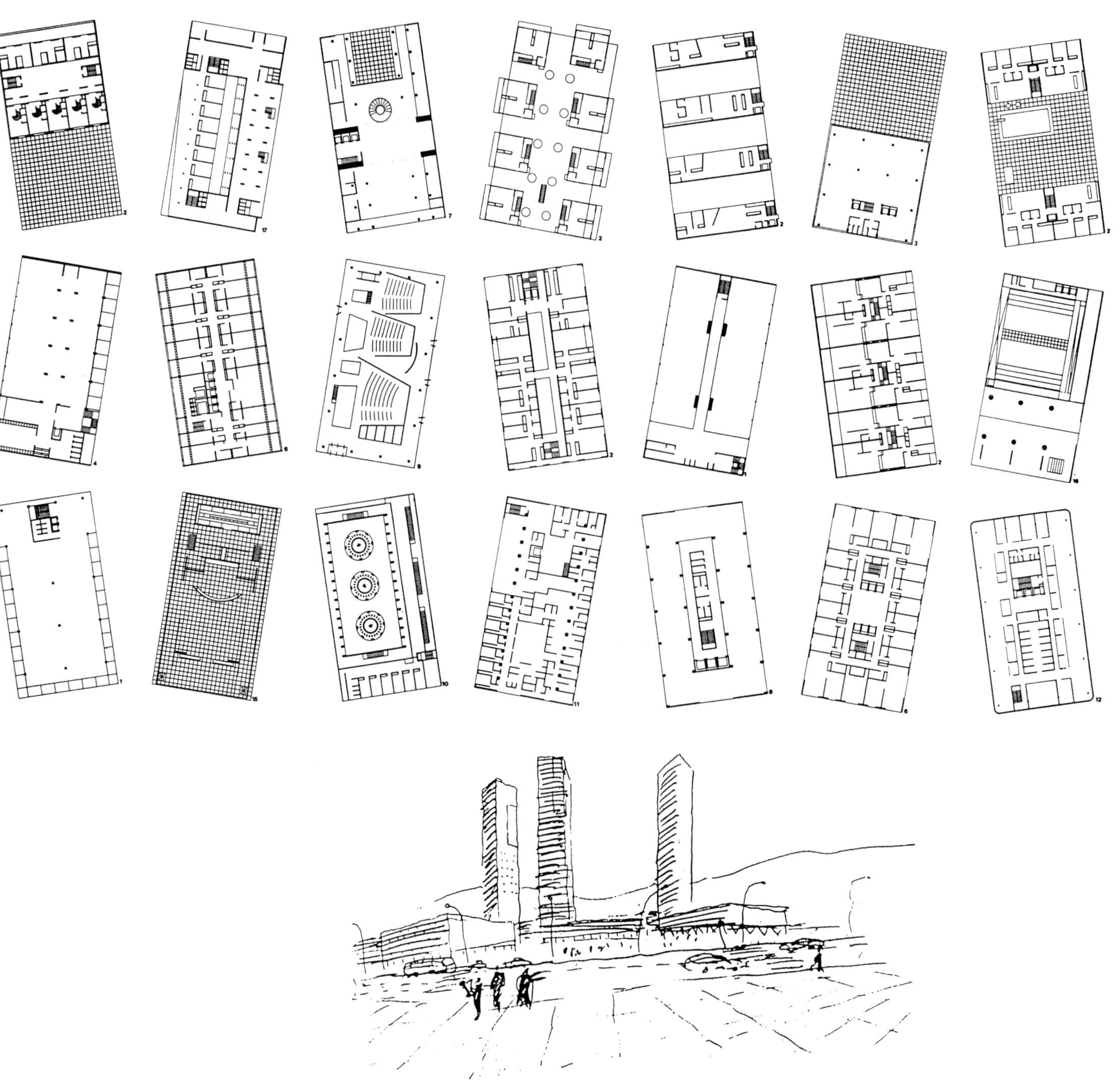

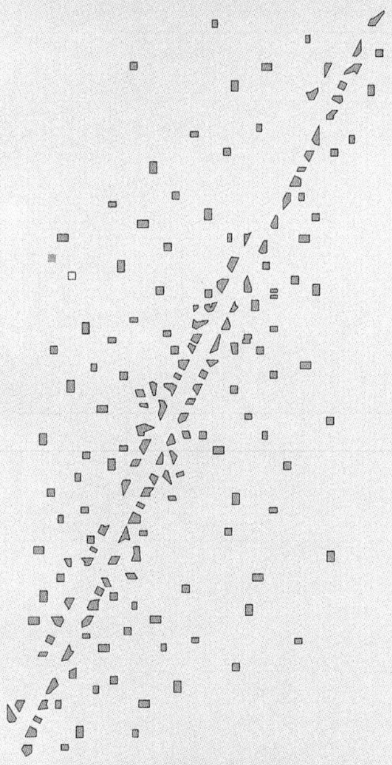

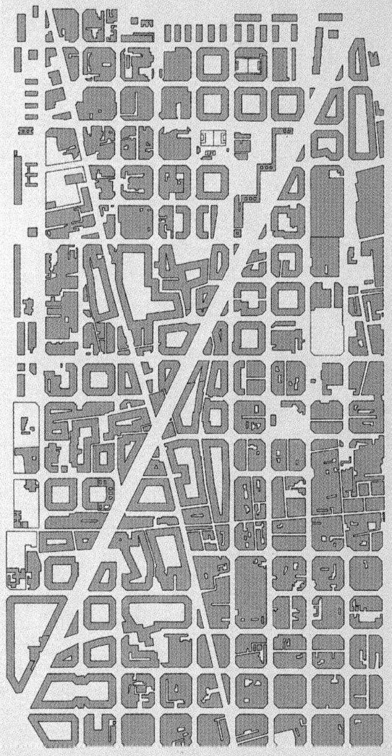

Winy Maas' project Houses for elderly people transform the anonymous landscape in the periphery of Amsterdam

borders

The dissolution of city limits is perhaps the basic premise of architecture's discourse today. If the city is characterized by access to information and social interaction, or the diversity of work and leisure opportunities, belonging to the urban world is then a circumstance which can be experienced from any location which has access to the communication networks which underpin our day-to-day life. Once the boundaries are dissolved, the city becomes an optional context or a lifestyle which we are free to choose. In the exhibition New landscapes, new territories, *the definition of a thematic area devoted to investigating the limits in the field of architectural planning takes as its basis the assertion that, just as experience of the city is not bound to a specific physical territory, the definition or experience of its limits are also optional. Given these conditions, the architectural project can define the type of relationship it establishes with the city or, which amounts to the same thing, with the territory.*

Positioning *– Urban development of the first world in the second half of the twentieth century has been marked by a growing dispersion of the traditional functions of the city and therefore by its dissolution. As a result both of the process of suburbanization of North American cities and the creation of new towns and housing developments in the case of Europe, the supposed desire to free the population from the drawbacks attributed to city life has given rise to a "middle landscape" (an expression used by Peter G. Rowe in his book* Making a Middle Landscape *to describe the environmental quality of North American suburbia) which, although ideally aimed at combining the qualities of city and countryside, ultimately cancels out both worlds: a homogenized and consequently denaturalized, disqualified landscape.*

If the architectural project consists of defining spaces for inhabitation, the act of building in the new middle landscape ought first of all to consist of the appropriation of a location, the delimitation of a territory as opposed to unlimited territory.

Ludwig Hilberseimer. Vertical City (c. 1930)

fronteras

El proyecto de viviendas para gente mayor de Winy Maas transforma el paisaje de la periferia anónima de Amsterdam

La disolución de los límites de la ciudad es posiblemente la premisa fundamental del discurso arquitectónico contemporáneo.
Si la ciudad se caracteriza por la posibilidad de interacción social y de acceso a la información, o por la diversidad de oportunidades de trabajo y de ocio, las redes de comunicación que soportan nuestra vida cotidiana hacen de la pertenencia al mundo urbano una circunstancia experimentable desde cualquier ubicación que tenga acceso a dichas redes. Una vez disueltas las fronteras, la ciudad se habría convertido en un entorno facultativo o en una forma de vida de libre elección.
En la exposición Nuevos paisajes, nuevos territorios, la definición de un área temática dedicada a la investigación de los límites en el campo de la proyectación arquitectónica se basa precisamente en la constatación de que, del mismo modo que la vivencia de la ciudad no está vinculada a un territorio físico concreto, la definición o la experimentación de sus límites son igualmente opcionales. En estas condiciones, el proyecto arquitectónico puede definir el tipo de relación que establece con la ciudad o —lo que es lo mismo— con el territorio.
***Posicionamiento** — El desarrollo urbanístico del primer mundo durante la segunda mitad del siglo XX se ha caracterizado por una dispersión creciente de las funciones tradicionales de la ciudad, y en consecuencia, por su disolución. Tanto como resultado del proceso de "suburbanización" de las ciudades norteamericanas como de creación de nuevas ciudades o polígonos residenciales en el caso europeo, la supuesta voluntad de liberar a la población de los inconvenientes atribuidos a la vida en la ciudad ha generado finalmente un nuevo "paisaje intermedio" (una expresión que Peter G. Rowe utiliza en su libro* Making a Middle Landscape *para describir la calidad ambiental de los* suburbia *o barrios residenciales norteamericanos), que niega a la vez la ciudad y el campo, pese a soñar con la conjunción de ambos mundos; un paisaje homogeneizado, y en definitiva, desnaturalizado, descalificado.*

Marginality *– The architecture of the avant-garde movements of the twenties was characterized by its radical opposition to the traditional city and –in keeping with its internationalist aspirations– by its estrangement from the specific conditions of a site.*
From Le Corbusier's City for three million inhabitants to Hilberseimer's Vertical City, representations of the modern city show its inhabitants conveniently detached from their context, spectators on a higher plane of a supposedly pastoral landscape or an alien traditional city. The landscape revealed to us is an unlimited, homogeneous one, characterized only by its horizontality as opposed to the verticality of the new architecture.
Today, when the particularities of our homogeneous and diffused environment are indeed scarce, the estrangement conceived by modern architecture becomes a model for a particular appropriation of space. The city-dweller on her or his domestic terrace enjoys a qualified marginal position: one of a measured, particularized space in contact with open air, light and landscape.
Transgression *– From this point of view, building the limits of habitable space is an exercise in resistance, contradicting environmental denaturalization with the creation of boundaries, of fractures in a territorial and cultural continuum, and calling for the recognition of the specific qualities of a site. This exercise no longer means detecting and acting on the interstitial spaces or voids in a city –a type of intervention based on creating seams in a fragmented fabric with the aim of reconstructing a whole; it requires inventing these interstices to construct voids within the fabric, or the detachment from this fabric in order to offer a less restricted –that is, more absolute– experience of the territory.*
This desire to attach a significance to constructed space and manipulate its relations with the surrounding area that is the thread linking the works presented here. More specifically, the work of Kazuyo Sejima would illustrate the desire to give form to insulation and estrangement in the face of extreme conditions which the project cannot hope to modify. The small N House, the multi-media studio in Oogaki –set amidst industrial complexes, housing, wide open spaces and towering electricity pylons–, and the Chofu police station in Tokyo –situated between a dense urban fabric and the open railway tracks– all seem to have as their main goal the construction of limits of protection, the definition of a secluded inner space, set apart from the constant movement of life outside. From its marginal position, the police station would also aim to analyse, to keep an eye on, the acceptable limits of the society which surrounds it.

ALBERT FERRÉ

Le Corbusier. Immeuble Clarté (1930-1932)

Si el proyecto arquitectónico consiste en la definición de un espacio habitable, el hecho de construir en el nuevo paisaje intermedio tendría que consistir primero en la apropiación de una localización, en la delimitación de un territorio por oposición al territorio ilimitado.

Marginalidad *– La arquitectura de las vanguardias de los años veinte se había caracterizado por su enfrentamiento radical con la ciudad tradicional y -consecuentemente con su ambición universalizadora- por su distanciamiento respecto a las condiciones particulares de un emplazamiento. Desde el proyecto de una Ciudad para tres millones de habitantes de Le Corbusier o la propuesta de Ciudad Vertical de Hilberseimer, las representaciones de la ciudad moderna nos muestran a sus habitantes confortablemente desvinculados del entorno, espectadores desde una terraza elevada de un paisaje supuestamente bucólico o de una ciudad tradicional ajena. El paisaje que se nos muestra es un paisaje homogéneo e ilimitado, caracterizado únicamente por una horizontalidad que se opone a la verticalidad de la nueva arquitectura.*

Hoy en día, cuando las particularidades de nuestro entorno, homogéneo y difuso, se han vuelto efectivamente escasas, el distanciamiento imaginado por la arquitectura moderna se convierte en un modelo para una apropiación particular del espacio. Desde esas terrazas domésticas, el habitante de la ciudad disfruta de una posición marginal cualificada: la de un espacio medido y particularizado que se relaciona con el aire, la luz y el paisaje.

Transgresión *– La construcción de los límites del espacio habitable constituye desde esta visión un ejercicio de resistencia, que contradice la desnaturalización ambiental con el establecimiento de fronteras, de fracturas en un* continuum *territorial y cultural, y que reivindica la especificidad del emplazamiento. Este ejercicio ya no consiste en detectar y actuar sobre los espacios intersticiales o los vacíos articuladores de la ciudad -un tipo de intervención basado en la sutura de un tejido fragmentado, con la ambición de reconstruir un todo- sino más exactamente en la invención de estos intersticios para construir el vacío en el interior del tejido, o bien la desligadura de este tejido para ofrecer una experiencia menos restringida (más absoluta) del territorio.*

Es precisamente esta voluntad de significación del espacio construido, como también de manipulación de las relaciones de este espacio con el entorno, lo que ofrece un argumento compartido en las obras que se presentan a continuación. De forma especial, la obra de Kazuyo Sejima ilustraría la voluntad de dar forma al aislamiento y al extrañamiento ante unas condiciones externas que el proyecto no pretende modificar. Tanto el estudio multimedia de Oogaki, rodeado de instalaciones industriales, de grupos de viviendas, de amplios espacios abiertos y de gigantescas torres de alta tensión, como la cabina de policía de la estación de Chofu, en Tokio, situada entre el denso tejido urbano y las vías del tren, parecen plantearse como objetivo principal la construcción de unos límites de protección, la definición de un espacio interior recluido, ajeno al movimiento continuo de la vida exterior. Desde su posición marginal, este último proyecto pretendería también analizar, espiar los límites tolerables de la sociedad que lo rodea.

ALBERT FERRÉ

Jaap Bakema, Herman Klopma. Pampus Plan (1964)

Yokohama, Tokyo 1997

Yokohama International Port Terminal FLORIAN BEIGEL ***The central idea of the design is a sky deck with several sunken gardens that gently rise from the city towards the sky. The overall structure can also be described as a sky mat, on which the citizens of Yokohama meet each other and visitors from the world. There are no buildings planned on this mat, the whole site plan area is considered a garden of the horizon. The terminal is designed on the basis of flow of people and luggage.***

To avoid staircases, escalators and lifts, as a primary means to manage level changes, the terminal is designed with a gently sloping floor. The car park is considered to be a layer of the deck, that one enters via a lane on the slope from which access ramps descend into a valley for the car. This valley will have a panoramic view to give spacial orientation to the driver.

The main structural proposal is to provide full flexibility with column free space for the interiors of the terminal and citizen facilities. The main structure in this strategy carries the garden and the car park. From the ship and from the city the new pier structure might give the impression of a skyscraper in the process of emerging from the sea.

Terminal Internacional del transbordador de pasajeros de Yokohama FLORIAN BEIGEL ***La idea central del proyecto es una plataforma-mirador con diversos jardines hundidos que se elevan suavemente desde la ciudad hacia el cielo. La estructura en conjunto podría describirse como un gran tapiz elevado, un lugar de encuentro para los ciudadanos de Yokohama y los visitantes extranjeros. No se ha previsto construir ningún edificio en este tapiz, ya que el plan general del área lo interpreta como un jardín en el horizonte. La terminal se ha proyectado en función de la circulación de pasajeros y equipajes. A fin de evitar escaleras, ascensores y escaleras mecánicas como medios principales para resolver los cambios de nivel, el suelo de la terminal presenta una ligera inclinación. El aparcamiento de coches, accesible desde una vía inclinada, de la cual surgen las rampas que descienden hasta la explanada, es tratado como un segundo nivel de la plataforma. Esta explanada tendrá una vista panorámica que permitirá la orientación espacial del conductor. La principal propuesta estructural consiste en ofrecer plena flexibilidad con un espacio libre de columnas en el interior de la terminal y los equipamientos cívicos. La estructura más significativa de esta estrategia son los jardines y el aparcamiento. Desde los barcos y desde la ciudad, la estructura del nuevo malecón ofrece la impresión de un rascacielos que emergiera del mar.***

Yokohama International Port Terminal FOREIGN OFFICE ARCHITECTS ***The concept of ni-wa, proposed by the client as the basis of the project, suggests a mediation between a garden and a harbour, but also between the citizens of Yokohama and those who belong to the outside world. The proposal for the new Yokohama Terminal aims for an artefactual rather than a representational mediation between the two components of this concept. The artefact will operate as a mediating device between the two large social machines that make up the new institution: the system of public spaces of Yokohama and the management of cruise passenger flows. The components are used as a device for reciprocal de-territorialization: a public space that wraps around the terminal, neglecting its symbolic presence as a gate, decodifying the rituals of travel, and a functional structure which becomes the mould of an a-typological public space, a landscape with no instructions for occupation.***

The aim is to achieve a mediation of a differential nature: a machine of integration that allows us to move imperceptibly through different states, turning states into degrees of intensity, countering the effects of the rigid segmentation usually produced by social mechanisms —especially those dedicated to the maintenance of borders.

Using the ground surface to create a complementary public space to Yamashita Park, the proposal will result in the first perpendicular penetration of the urban space between Yokohama Bay. The ground of the city will be seamlessly connected to the boarding level, and from there it will bifurcate to produce a multiplicity of urban events. Consequently, the building will become an extension of the city.

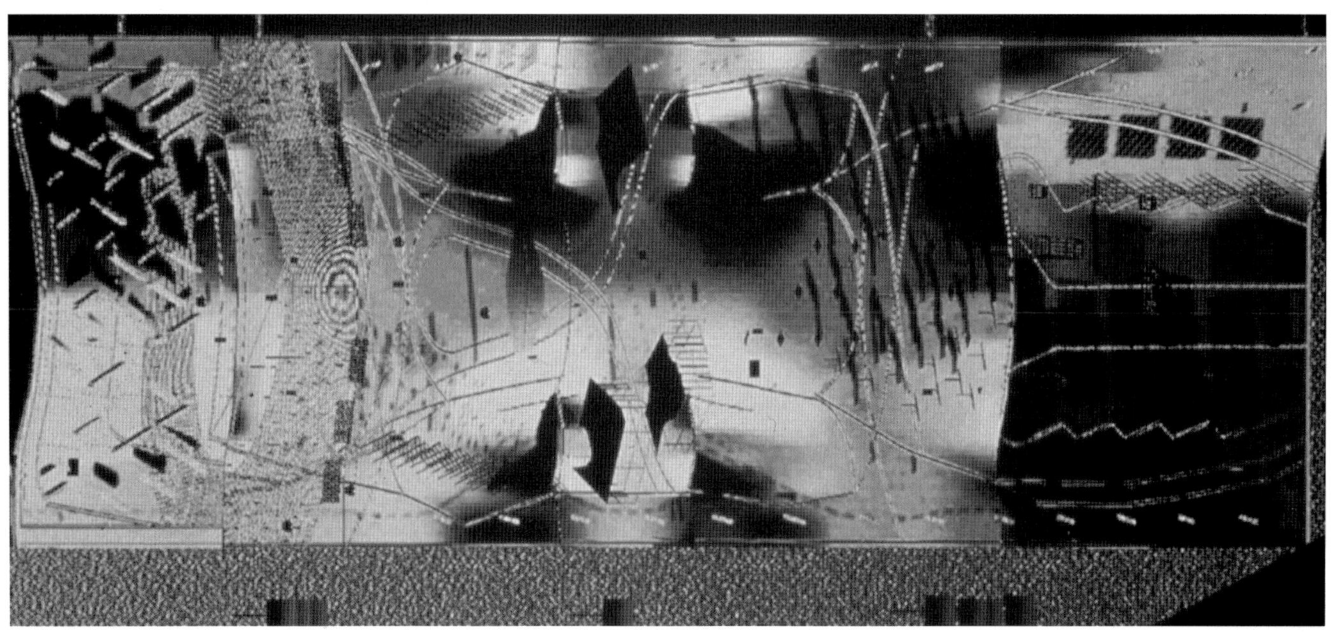

Terminal Internacional del transbordador de pasajeros de Yokohama FOREIGN OFFICE ARCHITECTS ***El concepto de ni-wa, propuesto por el cliente como base del proyecto, sugiere un elemento intermermedio entre un jardín y un puerto, pero también es un puente entre los ciudadanos de Yokohama y el mundo exterior. La propuesta de la nueva terminal de Yokohama opta por una mediación objetual más que representacional entre los dos componentes de este concepto. Este elemento actuará como instrumento de mediación entre dos grandes maquinarias sociales que configuran la nueva institución: la red de espacios públicos de Yokohama y la gestión del tránsito de embarcaciones de pasajeros. Ambos elementos se utilizan como instrumento para la desterritorialización: un espacio público que rodea la terminal, dejando de lado su presencia simbólica como puerta de entrada, descodificando los rituales del viaje, y una estructura funcional que se convierte en molde de un espacio público atipológico, un paisaje sin instrucciones de ocupación.***
Se trata de lograr una mediación de naturaleza diferencial: un dispositivo de integración que nos permita desplazarnos imperceptiblemente por distintos países, convirtiéndolos en grados de intensidad, equilibrando los efectos de la rígida segmentación que suelen producir los mecanismos sociales, y en particular aquellos dedicados al mantenimiento de fronteras. Al utilizar la superficie del terreno en planta baja para crear un espacio público complementario al parque Yamasita, la propuesta realiza la primera penetración perpendicular del espacio urbano en la bahía de Yokohama.
El territorio de la ciudad quedará conectado sin fisuras al muelle, y desde allí se bifurcará para producir una gran multiplicidad de elementos urbanos. De este modo, el edificio se convertirá en una extensión de la ciudad.

Kazuyo Sejima en el Centro Multimedia y en la Casa N y West 8 Landscape Architects en Carrasco Square desdibujan los límites entre espacio rodado y peatonal, entre interior y exterior y entre dinamicidad y estaticidad

Both Kazuyo Sejima in the Multi-media Centre and in the N House and West 8 Landscape Architects in Carrasco Square blur the limits between pedestrian and vehicular space, between interior and exterior, between the dinamic and the static

Multi-media Studio KAZUYO SEJIMA, RYUE NISHIZAWA ***This building is located in a regional city, three hours away from Tokio. The site is on a plane of grass in one corner of a wide expanse of a school campus. It comprises annex facilities to the school, residences for computer art artist and a gallery —open both to students and the general public. The project focuses on a building that will reflect both a new art and the situation of the building in a flat area outside the campus.***

The Multi-media studio required a high ceiling; in order to blend it with the environment it was submerged by 1.80 m. Its plan is rectangular, its shape is a parabolic plaza —an exhibition event space— connected to the ground, that gives access to the building. Due to the image screen this gives a floating impression on the green expanse of the campus. The studio and ateliers are arranged in bands surrounded by the corridors, these buffer the ateliers and the studio from the external environment.

The individual rooms face the natural light source.

Estudio multimedia KAZUYO SEJIMA, RYUE NISHIZAWA ***Este edificio está situado en una ciudad regional, a tres horas de Tokio, al extremo de un campus universitario, en una gran extensión de césped. Incluye los equipamientos anexos a la universidad, residencias para artistas que trabajan con ordenadores y una galería abierta a los estudiantes y al público en general. El proyecto se centra en un edificio que refleja las nuevas tendencias artísticas, así como la situación en una zona llana en el exterior del campus. El estudio multimedia requería un techo elevado, y para integrarlo en el entorno, se hundió aproximadamente 1,80 metros. La planta es rectangular, la forma describe una plaza parabólica —un salón de actos y exposiciones— conectada con el nivel por el que se accede al edificio. La reflexión de imágenes produce la sensación de que este espacio flota sobre la gran extensión verde del campus. El estudio y los talleres están dispuestos en franjas y rodeados de corredores, que los aíslan del exterior. Las habitaciones individuales están orientadas a la fuente de luz natural.***

Carrasco Square WEST 8 LANDSCAPE ARCHITECTS ***The Carrasco Square is situated to the south of Sloterdijk Station and runs all the way to the canal called Haarlemmertrekvaart. It is part of park Teleport, a location halfway between Schiphol and the centre of Amsterdam. It is well suited for the assimilation of car traffic, furthermore the square is a good connection for pedestrians. The bordering buildings and the elevated tracks leave the square almost entirely in shade. This makes it difficult to design it as a green zone. Big differences in liveliness between day and night outside of the actual station area cause a lack of social control during a long period of the day.***

West 8's design provides a mosaic of grass and paving, a surrealistic painting of asphalt and green for the Carrasco Square. The grass is changed into black asphalt with white dots where it crosses a road or is unfavourably situated towards the sun. The roads that cross the floorpattern, will be divided from the rest of the area by an elevated rail.

The floorpattern is a two-dimensional design that goes along with the three-dimensional presence of the concrete columns that carry the elevated railroad tracks. The area is transformed into a urban forest by allowing part of the columns to be overgrown by ivy and placing casts of tree trunks in the grass planes.

The sidewalks work as a rim around the area and offer a socially safe route to the offices.

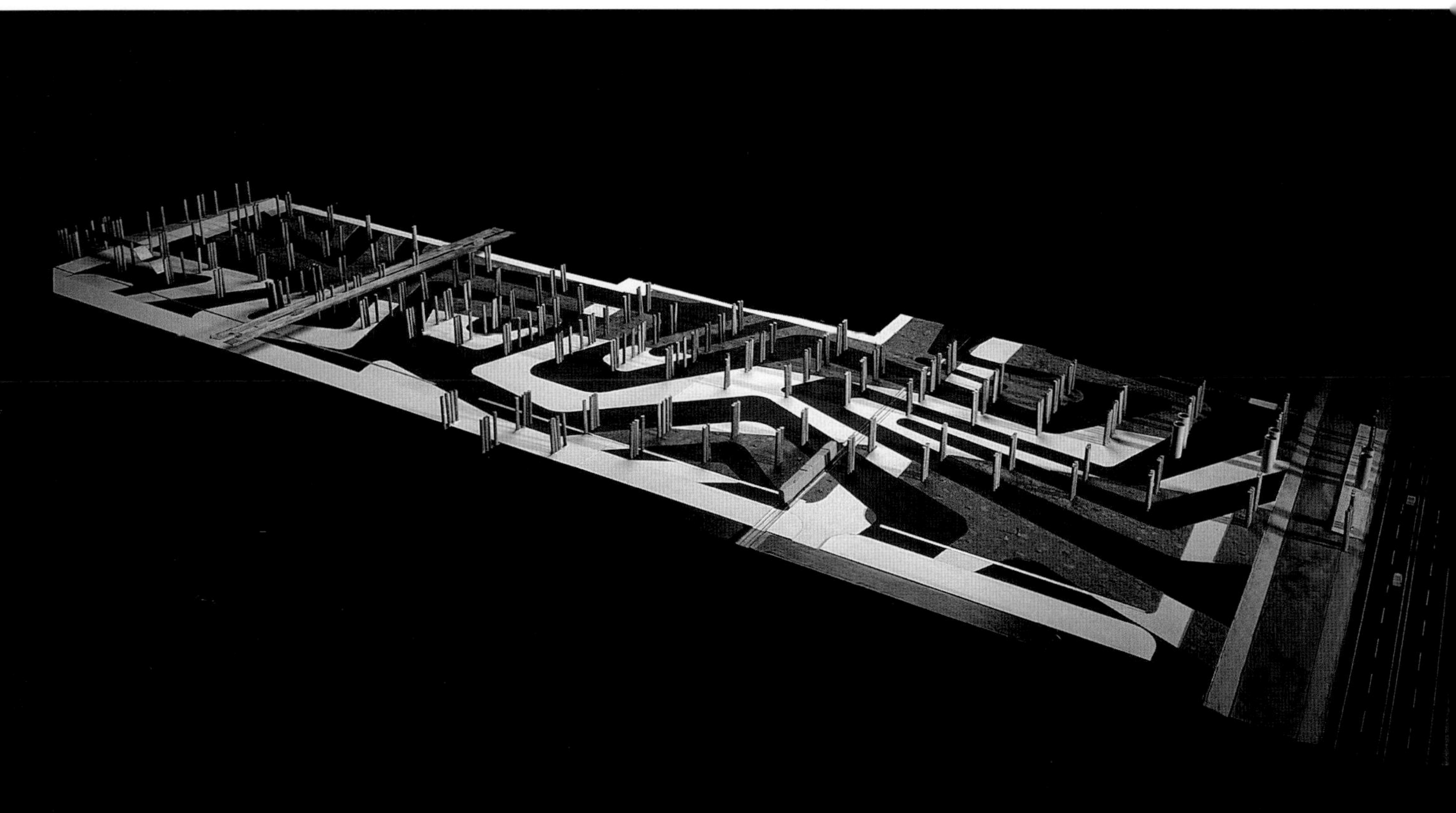

Carrasco Square *WEST 8 LANDSCAPE ARCHITECTS* ***Carrasco square está situada al sur de la estación Sloterdijk y se extiende a lo largo del canal llamado Haarmlemmertrekvaart. Forma parte del parque de Teleport, una zona entre Schiphol y el centro de Amsterdam, y está bien organizada para absorver el tráfico de vehículos y resolver el paso de peatones. Los edificios que la rodean y las vías elevadas dejan la plaza prácticamente en sombra, lo que dificulta su diseño como espacio verde. Por otra parte, la diferencia de actividad entre el día y la noche alrededor de la estación provoca cierta falta de control social durante gran parte del día. El proyecto de West 8 presenta un mosaico de cesped y pavimento, una pintura surrealista de asfalto y zonas verdes. En los cruces o en las zonas donde no toca el sol, la hierba se convierte en asfalto negro con manchas blancas. Las vías que cruzan los dibujos del pavimento se separan del resto por medio de una pasarela elevada. El diseño del pavimento lo conforma una trama bidimensional que establece un diálogo con la presencia tridimensional de los pilares de hormigón que sustentan las vías elevadas del ferrocarril. Gracias a la hiedra que cubre parte de los pilares y de los troncos situados sobre el césped la zona se convierte en un bosque urbano. Las aceras actúan como márgen que rodea la zona y ofrecen una ruta segura hacia las oficinas.***

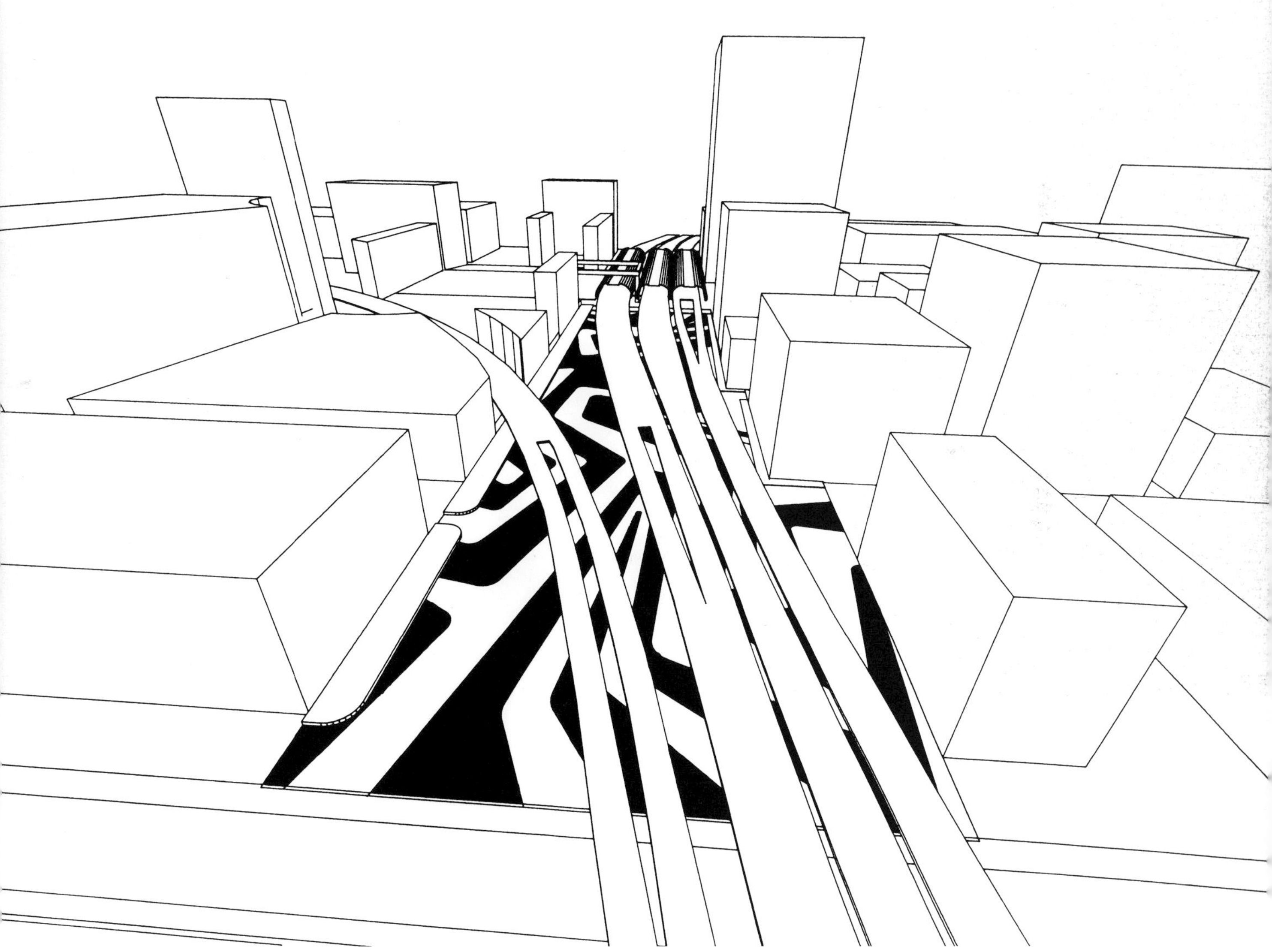

KEIO 調布駅
カード5%OFFフェア実施中
調布PARCO
京王不動産
とうきゅう

Los proyectos de Kazuyo Sejima y de Winy Maas establecen fronteras interiores entre diferentes partes de la ciudad

Both Kazuyo Sejima and Winy Maas projects establish interior borders between different parts of the city

Police Box KAZUYO SEJIMA ***This police box is located in front of Chofu railway station –between the front station plaza and the railroad tracks– in a suburb of Tokio with over 100 000 commuters using in every day. The building is thought of as a landmark and holds complex functions within a small space. Two walls standing between the plaza and the tracks define a private space. A cylindrical volume containing the rest area holds these two walls together and allows soft light to bathe the space bellow. The exterior walls are made of polished stainless steel panels that reflect fragments of the surrounding space, people and movement.***

Cabina de policía KAZUYO SEJIMA ***Esta cabina de policía está situada frente a la estación de ferrocarril de Chofu, entre la explanada y las vías del tren, en una zona suburbana de Tokio que absorbe más de 100.000 usuarios de ferrocarril al día. El edificio quiere ser un referente visual en el paisaje y aloja funciones múltiples y complejas en un espacio reducido. Dos muros entre la explanada y las vías definen el espacio privado.***

Un volumen cilíndrico que contiene el área de descanso une los muros y permite la entrada al espacio inferior de una luz matizada. Los muros exteriores están formados por paneles de acero inoxidable y reflejan fragmentos del espacio circundante, la gente y el movimiento.

Houses for elderly people MVRDV ***In the Western Gardencities we are confronted with massive densification operations that continue to threaten the open green spaces, the most important quality of this part of the city.***
As part of this operation, a block of 100 apartments for 55-ers is proposed to mark the end of a facilitystrip for the elderly. To ensure adequate sunlight into the surrounding buildings, only 87 of the 100 units could be realised within the block. The remaining 13 dwellings are literally suspended in the air. This also provides a welcome articulation of the Ookmeerweg streetscape.

Viviendas para gente mayor MVRDV ***En las ciudades jardín occidentales nos enfrentamos a operaciones de densificación masiva que plantean una amenaza constante para las zonas verdes al aire libre, un factor vital para la calidad del entorno urbano. En este contexto, se plantea la propuesta de construir un bloque de 100 apartamentos para personas mayores de 55 años, como delimitación de un área de servicios para gente mayor. Para asegurar la penetración de luz solar en los edificios adyacentes, sólo 87 de las 100 unidades previstas podían edificarse dentro del perímetro del bloque. Así pues, las 13 viviendas restantes se hallan casi literalmente suspendidas en el aire, lo cual ofrece una articulación idónea del paisaje urbano de Ookmeerweg.***

Steven Holl. Edge of a city
Spatial Retaining Bars, Phoenix
Parallax Skycrapers, Manhattan

Fronteras entre ocupación y territorio o entre ciudad y naturaleza sobre las que Steven Holl trabaja
Borders between settlement and territory or between city and nature on which Steven Holl works

212-STORAGE

The wind barrier MARTEEN STRUIJS ***The port and industrial area, Europoort, situated between Rotterdam and the North Sea, is in its present form a product of a thirty year evolution. About halfway along the Europoort area, is Brittanniëhaven.***
This harbour was designed on the implicit assumption that petrochemical industry would be established around it. The Caland Bridge, which enables road and rail traffic to cross the Caland Canal was dimensioned such that only relatively low ships could pass this bridge without problems on their way to Brittanniëhaven. With the emergence of container transport and car transshipment a possibility emerged to give this harbour an environmentally save use. Practice has shown that these high ships cannot pass the Caland Bridge without problem under all conditions. Beyond a certain wind strength, these ships were therefore not allowed to pass the bridge in order to reduce the risk of damaging it to a minimum. The only remaining solution was the erection of a structure to change the wind climate, especially at the Caland Bridge to such extent that there would be no significant waiting times. The characteristic feature of the barrier is the use of semi-circular shells twenty five meters high, placed every twelve meters at the southern side. The central part consists of half shell with a separation of 1.33 meters.
The presence of road intersections meant that it was not possible for the central section to extend to ground level at every point. A heavy torsion-resisting bridging beam was therefore employed over the entire length of this section in which the shells are anchored at road intersections. The third, northernmost barrier section is a combination of a fifteen-meter high, windbreaking embankment, on top of which are ten-meter high wind-breaking flat slabs. The division of the barrier into three sections, which was in fact made necessary by local conditions, meant that the overpowering and massive character of the structure could be toned down. The final result of these architectural efforts is one of the few examples in the Netherlands of an entirely architectural-designed civil engineering project.

Barrera contra el viento MARTEEN STRUIS ***La zona portuaria e industrial de Europoort, situada entre Rotterdam y el mar del Norte, con sus características actuales, es producto de treinta años de evolución. En la parte central de Europoort, se halla Brittaniëhaven, un puerto concebido con la previsión de que la industria petroquímica se establecería en este área. El puente Caland, que permite que el tráfico rodado y ferroviario atraviese el canal, se construyó con unas dimensiones que sólo admitían el paso de barcos relativamente bajos en dirección a Brittanniëhaven. Con el auge del transporte de contenedores y los transbordadores de vehículos, surgió la posibilidad de mejorar este puerto desde el punto de vista medioambiental. La práctica había demostrado que en determinadas condiciones meteorológicas, los barcos de gran altura no podían pasar bajo el puente Caland sin dificultades. Así pues, cuando la fuerza del viento sobrepasaba un nivel determinado, se les prohibía el paso, a fin de reducir el riesgo de deterioro al mínimo.***

Sólo quedaba una solución alternativa, que consistía en erigir una estructura de protección, capaz de mitigar los efectos y la erosión del viento bajo el puente, y reducir los tiempos de espera. La principal característica de la barrera es la disposición de unas mamparas semicirculares, de veinticinco metros de altura, situadas en intervalos de doce metros a lo largo del lado sur. La parte central consiste en media mampara, con una separación de 1,33 metros.

La presencia de intersecciones viarias impedía extender la sección central hasta el nivel del suelo en todos los puntos. Así, se utilizó una viga de refuerzo resistente a la torsión a lo largo de toda esta sección, que permitió fijar las mamparas en las intersecciones viarias. La tercera sección de la barrera, situada en la zona norte, está formada por un dique de protección contra el viento, de quince metros de altura, sobre el cual hay unas losas planas de diez metros de altura.

La división de la barrera en tres secciones, necesaria por las condiciones del solar, permitió mitigar el aspecto masivo e imponente de la estructura. El resultado de este planteamiento constituye uno de los raros ejemplos que existen en los Países Bajos de una obra de ingeniería civil concebida enteramente desde un punto de vista arquitectónico.

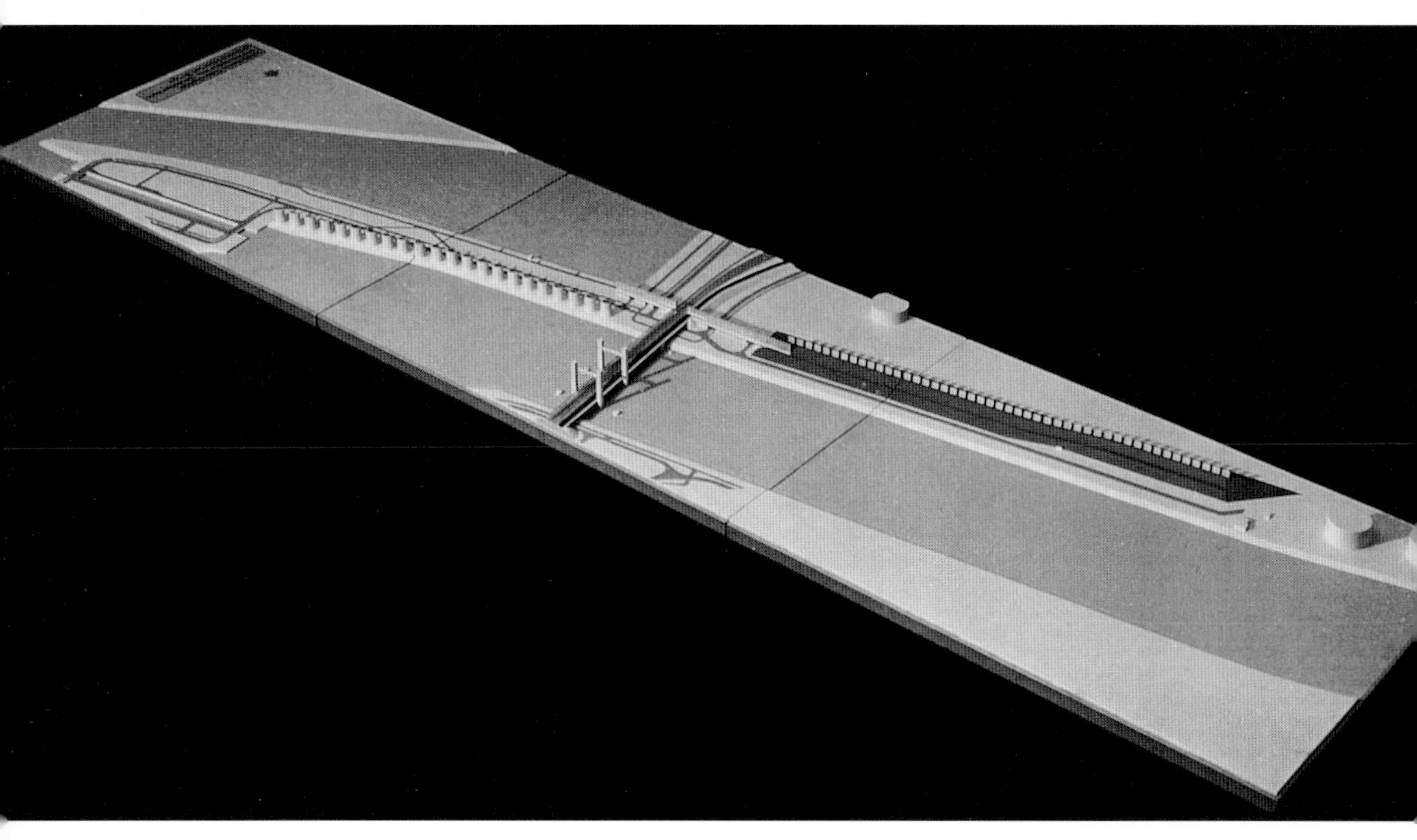

interior landscapes

Jean Nouvel's Cartier Foundation brings in a parisian boulevard qualities similar to those of a inner courtyard

Let us consider the system which consists of this sofa and the individual who is trying to get comfortable in it.[1] *He starts to approach it in the same way one assumes that anyone would, in other words, by sitting down. But soon, almost involuntarily, he starts to slip into it, in search of a good position. In his desire to get comfortable he thus begins to assume a tireless series of postures in the suggestive landscape of a sofa which is useless to him as a seat, but which is, nevertheless, very useful as a medium in which to reposition himself continuously.*

A time comes when not only does the individual move around the sofa, but the piece of furniture is also turned over and subjected to the exploratory action of his postures. By turning the sofa over he transforms it, distorts it, distorts its logic, turns things upside down, the back becomes the seat and vice-versa. As it starts moving, vibrating, the sofa also gets involved by forming a different continuity within the system established between the two.

Our perception of architecture has usually been based on the consideration that the sofa should still remain upright. The matter on which architecture is based exists as such and, therefore, is solid, or is consolidated when it assumes the shape of a building.

The matter of the air which surrounds it does not count. The external space, the landscape and the environment are ideological, rather than material, concepts, they form part of an immaterial, impalpable and hardly measurable backdrop, which does not count in t he act of construction.

But nowadays, this notion of order is no longer feasible. The relations between things are not so solid, so measurable, so watertight or so "Euclidean". Disorder is no longer looked upon as the absence of order, but as a different form of order. Chaos or random dynamics form part of this different notion of the order of things.

Consideremos el sistema que forman esta poltrona y el individuo que busca acomodarse en ella.[1] *Comienza disponiéndose en ella de la manera en que se supone que lo haría cualquier persona, es decir, sentándose. Pero pronto, casi involuntariamente, empieza a deslizarse en ella buscando una posición agradable. En su voluntad por ponerse cómodo empieza así un rumbo incansable de posturas a lo largo del sugerente paisaje de una poltrona que para él resulta inútil como asiento, pero que en cambio es muy útil como un medio a través del cual resituarse continuamente.*

Llega un momento en que ya no sólo es el propio individuo el que se mueve alrededor del sofá, sino que acaba volcándolo y sometiéndolo a su vez a la acción exploradora de sus posturas. Transforma el sofá volcándolo, distorsiona su lógica, convierte lo que estaba arriba en lo que está abajo, el respaldo en asiento y viceversa. Al entrar en movimiento, en vibración, el sofá también se ve implicado formando una continuidad diferente dentro del sistema establecido entre los dos.

Nuestra percepción de la arquitectura ha partido habitualmente de la consideración de que la poltrona debe permanecer de pie.

La materia que conforma la arquitectura existe como tal, y por lo tanto es sólida, o se consolida cuando toma forma un edificio.

La materia del aire que se encuentra en torno a ella no cuenta. El espacio exterior, el paisaje y el entorno son conceptos ideológicos más que materiales, forman parte de un trasfondo inmaterial, no palpable y difícilmente mesurable, que no cuenta en la acción de construir.

Pero en nuestra realidad presente, esa noción de orden ya no resulta factible. Las relaciones entre las cosas han dejado de ser tan sólidas, tan mesurables, tan herméticas o tan "euclídeas". El desorden ya no se considera como ausencia de orden, sino como un orden diferente. El caos o las dinámicas aleatorias forman parte de esa noción distinta de orden.

(In a solid, all one needs to define the position of a point in space are the three Cartesian coordinates x, y, and z. Minimal information which defines the position of a point for us. But let us imagine that this solid starts to lose its consistency and becomes liquid. The points of matter have started to vibrate, and this movement has generated more information necessary to define the position of the points in space. If we move from a fluid to a gas, each point would now run in completely random paths, and even more information would be needed to position them in space. In other words, the change from "ordered" to "random" order takes place through an increase of information or, put otherwise, the more information the components of a system have, the greater their freedom).
Our contemporary condition is based above all on this premise: on the increase of individual freedom through the increase of information in any system. "Surfers on the waves", "fluctuating plants", "flow architectures", "inevitable liquidity". This premise leads us to understand present phenomena in architecture as processes of liquefaction, or of loss of solidity, in the appearance and in the form of things.
(Even the most basic tool of space measurement, geometry, is now gradually becoming a tool of exploration. The geometry being used at present is topology, the branch of geometry which concerns surfaces when being folded, twisted, stretched or even deformed, from one specific shape to another).
So, the true exploratory action of our character starts when he decides to turn over the sofa, to continue looking for alternative solutions to his discomfort. From that time onwards, the "solid" relationship of figure and background which existed between them is broken. By turning over the sofa, our uncomfortable character has transformed the notion of order of the system.
Figure and object, figure and context, figure and background... Relations which dissolve to form new realities, thereby also demonstrating that architecture thus dissolves any syntax, has nothing to do with any significant form.
Once the order of things reconsidered, architecture loses its architectural "form"; it resembles itself less and less. Today, buidings are more landscapes than objects.
The hall of the Hospital del Mar in Barcelona, by M. Brullet and A. de Pineda, is still a landscape with figures, a modern space. (The sofa is still upright, and the figure is still trying to sit on it). There is a background, an inert scenery consisting of a structure which covers a place and which consists of an isotropic row of columns and a roof. Underneath this scenery, there are other elements which are the figures. They are not related to the aforementioned background, quite the opposite, they manifest their independence through their free arrangement in this space defined by the structure.
However, in the Murcia Public Library, José María Torres Nadal introduces a disturbing variation. It is an internal landscape which still responds to an isotropic structural definition, to a Cartesian spatial background. However, the figures tend to blend in with the background or, rather, that structure of columns is deformed, thereby creating a different reality. Pillars which, instead of staying static, are deformed as if they were dervishes swirling around the inside of the room. It is an "asystematic system", in which the elements

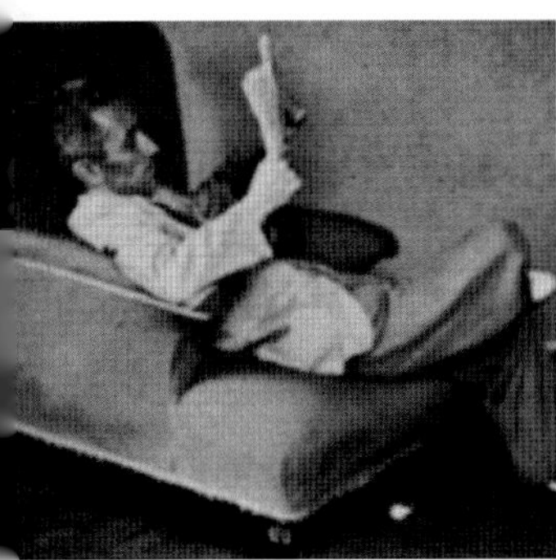

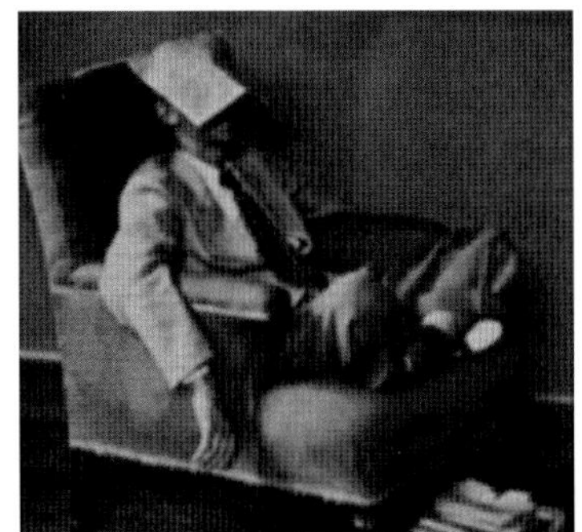

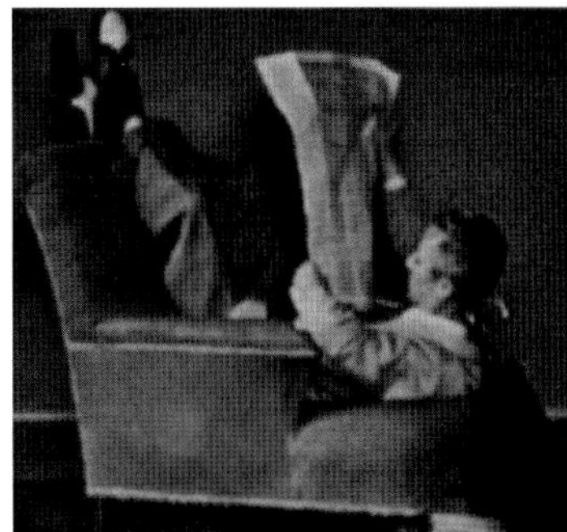

(En un sólido, para definir la posición de un punto en el espacio bastan las tres coordenadas x ,y ,z del espacio cartesiano. Una información mínima que nos define la posición de un punto. Pero supongamos que ese sólido comienza a perder su consistencia y se licua. Los puntos de materia han comenzado a vibrar, y ese movimiento ha incrementado la cantidad de información necesaria para definir la posición de los puntos en el espacio. Si de la consistencia fluida pasáramos a la gaseosa, cada punto correría ya trayectorias totalmente aleatorias, y la información que se precisaría para ubicarlos en el espacio sería aún mayor. Es decir, el paso de un orden "ordenado" a otro "aleatorio" se hace a través de un aumento de información, o lo que sería lo mismo, cuanto mayor es el grado de información del que disponen los componentes de un sistema, mayor es su grado de libertad).

Y es que nuestra condición de contemporaneidad se basa sobre todo en esta premisa: en el aumento de la libertad individual a través del aumento de la información de cualquier sistema. "Surfers entre las olas", "plantas fluctuantes", "arquitecturas de flujos", "liquidez forzosa"... Esta premisa es la que nos lleva a comprender fenómenos presentes en la arquitectura como procesos de licuefacción o de pérdida de la solidez en la apariencia y en la forma de las cosas.

(Incluso la herramienta básica de medida del espacio, la geometría, se va convirtiendo en la actualidad en una herramienta de exploración. La geometría empleada actualmente es la topología, esa rama de la geometría que estudia las posibilidades de las superficies al doblarse, retorcerse, estirarse o bien deformarse, pasando de una forma determinada a otra).

La verdadera acción exploradora de nuestro personaje comienza en el momento en que decide volcar la poltrona para seguir buscando alternativas a su incomodidad. Desde ese momento, se rompe definitivamente la "sólida" relación de figura y fondo que existía entre ellos. Al volcar el sofá, nuestro personaje incómodo ha transformado la noción de orden implícita en el sistema. Figura y objeto, figura y contexto, figura y fondo... Relaciones que se disuelven para formar nuevas realidades, constatando así también que la arquitectura disuelve de esta manera cualquier sintaxis, se desentiende de cualquier forma significante. Una vez reconsiderado el orden de las cosas, la arquitectura pierde su "forma" de arquitectura, cada vez se parece menos a ella misma. Los edificios, más que objetos, se vuelven paisajes.

El vestíbulo del Hospital del Mar de Barcelona, de Manuel Brullet y Albert de Pineda, es todavía un paisaje con figuras, un espacio moderno. (El sofá aún está de pie, y la figura aún intenta sentarse en él). Hay un fondo, un decorado inerte formado por una estructura que cubre un lugar y que está formada por una trama isótropa de columnas y por una cubierta. Bajo este decorado se encuentran otros elementos que son las figuras. No se relacionan con el fondo anterior, más bien al contrario, manifiestan su independencia a través de su libre disposición en ese espacio definido por la estructura.

En cambio, en la Biblioteca Pública de Murcia, José María Torres Nadal introduce una variación turbadora. Es un paisaje interior que aún sigue respondiendo a una definición estructural isótropa, a un fondo espacial cartesiano. Pero las figuras, en cambio, tienden a

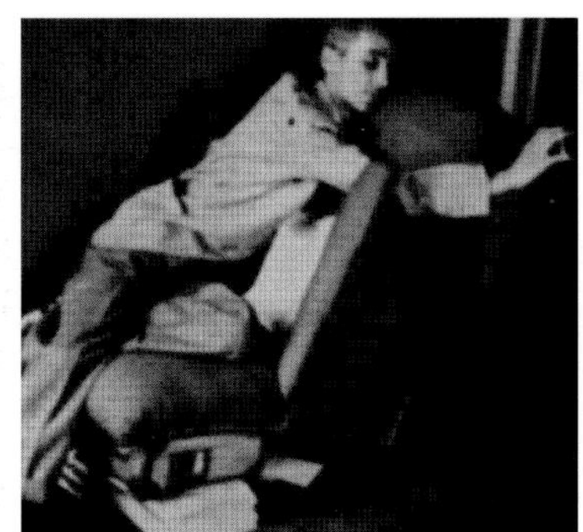

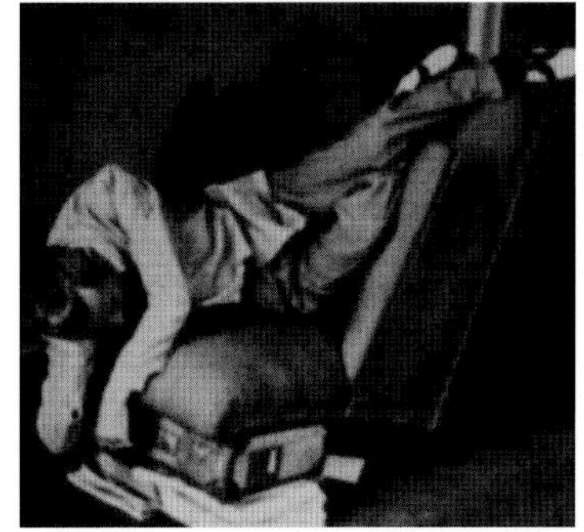

which make it up are "open structures, which not only allow, but energetically demonstrate their impulse or latent need to unfold or move. Like dream apparitions, vibrant, without dimension or previous scales, emerging from an intuitive state prior to the rational judgement of things. [2]

The inert scenery of floors, roofs and columns is no longer the norm. Global conceptions of a building's statics are gradually being shown to be excessively "rigid", simplistic, restrictive and inflexible to the real behaviour of the building. Therefore they are gradually making way for more "fluid" solutions, in which the structural surroundings are arranged, and acquire specific shapes, depending on local requirements and needs.

As in the case of the Sendai Mediatheque, by Toyo Ito, which would be a different formulation of the above project in Murcia. In both cases, the vertical structure of the columns also acts as a medium through which to light flows between the horizontal shapes. But while Murcia is the landscape of an intimate exploration, Sendai is a prototype. Its clarity of purpose directly emulates the most epic proposals of modern architecture. It is like a Domino house in the multimedia age. A container whose constructed environment is the minimal expression of what can be built, a building in the critical state of dematerialisation between building and air. The columns are the paradigm of this state. Columns which are no longer columns, or at least not just that. Instead of being minimal, sturdy and dense elements, the supporters par excellence of the weight of the building, they now play a active role transferring flows of air, light and information through it.

The headquarters of the Cartier Foundation in Paris, by Jean Nouvel is also a construction that fluctuates in this ambiguous situation of friction between the solid and the immaterial. Emptiness is another quality of objects, contrary to that which we normally consider as inherent to architecture. In his essay The perfect crime, *Jean Baudrillard speculates that the ultimate goal of technological implementation is to eliminate in an artificial reality any possibility of imagination, of radical illusion on the world: "an unconditional realisation of the world by updating of all data, by converting all pure acts, all events into pure information, the anticipated resolution through cloning of reality and the extermination of the real in the hands of its double".* [3] *Can architecture, whose purpose is to disappear and become transparent, be the first step towards trans-aesthetic architecture, towards the definitive disappearance of aesthetic purpose in architecture?*

The houses in Ciutat Vella, by Josep Llinás, and the two terraced houses in Utrecht, by Bjarne Mastenbroek and Winy Maas are no longer architectures of subtle friction between the full and the empty, but of clash, of contrast, of cutting. Before, light and air used to be like more accelerated, different material states of energy, which were harmonised with the slow material of construction. Now, however, light cuts the contours of matter without compromise, without ambiguities. Matter either exists or it doesn't. There is or there isn't. The schemes are precise, binary, black or white, and reflect sculptural urban decisions, as in the case of Josep Llinás in Ciutat Vella, which is a continuous process of negotiation, of purifying the solid: removing matter here, moving it there...

JAIME SALAZAR

1. MUNARI, Bruno. "Ricerca di comodità in una poltrona scomoda", 1950. In: Far vedere l'aria. *Ed. Lars Müller: Zürich, 1995*

2. According to Pablo Palazuelo, intuitive imagination is not be a state of the subconscious, but rather a state of preconscious imagination. From: PALAZUELO, Pablo. Geometría y visión. *Ed. Diputación Provincial de Granada, 1995*

3. BAUDRILLARD, Jean. The perfect crime. *Ed. Anagrama: Barcelona, 1996*

fundirse en el fondo o, mejor dicho, es esa estructura de columnas la que se deforma creando una realidad diferente. Son pilares que, en vez de permanecer estáticos, se deforman como si fueran derviches que orbitan en el interior de la sala. Es un "sistema asistemático", en el que los elementos que lo conforman son "estructuras abiertas, las cuales no sólo permiten, sino que muestran enérgicamente su impulso o su necesidad latente de desplegarse o de moverse". Como presencias oníricas, vibrantes, sin dimensión ni escala previa, surgidas de un estado intuitivo previo al juicio racional de las cosas.[2]

Los decorados inertes de suelos, techos y columnas ya no son la norma. Y es que las concepciones globales de la estática de un edificio se van demostrando como excesivamente "rígidas", simplificadoras, restrictivas y poco adaptables al comportamiento real del edificio. Por eso van dejando paso a soluciones más "fluidas", en las que las envolventes estructurales se disponen y adquieren formas concretas según las solicitaciones y las necesidades locales.

Lo mismo ocurre en la Mediateca de Sendai, de Toyo Ito, que sería una formulación diferente del proyecto anterior de Murcia. En ambos casos, la estructura vertical de columnas sirve también como medio a través del cual fluye luz entre los forjados horizontales. Pero mientras el proyecto de Murcia es el paisaje de una exploración íntima, el de Sendai es un prototipo. Su claridad propositiva emula directamente las propuestas más épicas de la arquitectura moderna. Es como una casa Domino de la era multimediática. Un contenedor cuyo entorno construido es la mínima expresión de lo construible, un edificio en el estado crítico de desmaterialización entre edificio y aire. Las columnas son el paradigma de este estado. Columnas que ya no son columnas, o al menos no sólo son eso. En vez de ser elementos mínimos, macizos y densos, portadores por excelencia del peso del edificio, se han transformado en partes activas en la transferencia de los flujos de aire, de luz y de información a través de él.

La sede para la Fundación Cartier de París, de Jean Nouvel, también es una edificación que fluctúa en esa situación ambigua de roce entre lo sólido y lo inmaterial. El vacío es una cualidad más del objeto. Una cualidad contraria a lo que normalmente consideramos como propio de la arquitectura. En su ensayo El crimen perfecto, Jean Baudrillard especula con que el fin último de la implementación tecnológica está en eliminar en una realidad artificial cualquier posibilidad de la imaginación, de la ilusión radical sobre el mundo: "una realización incondicional del mundo mediante la actualización de todos los datos, mediante la transformación de todos nuestros actos, de todos los acontecimientos en información pura, la resolución anticipada por clonación de la realidad y la exterminación de lo real a manos de su doble".[3] *¿Es posible que una arquitectura cuya voluntad está en desaparecer y transparentarse sea el paso anterior a una arquitectura transestética, a la desaparición definitiva de la voluntad estética en la arquitectura?*

Las viviendas en Ciutat Vella de Josep Llinás, y las dos viviendas adosadas en Utrecht de Bjarne Mastenbroek y Winy Maas ya no son arquitecturas de roce sutil entre el lleno y el vacío, sino que lo son de choque, de contraste, de recorte. Antes, la luz y el aire eran como estados materiales diferentes de energía, más acelerados, que entraban en resonancia con la materia lenta de la construcción. Ahora, en cambio, la luz recorta los contornos de la materia sin términos medios, sin ambigüedades. La materia está o no está. Hay o no hay. Los esquemas son precisos, binarios, de blanco o negro, y reflejan decisiones urbanas escultóricas, como en el caso de Josep Llinás en Ciutat Vella, que es un proceso continuo de negociación, de depuración del sólido: quitando materia aquí, desplazándola allá...

JAIME SALAZAR

1. MUNARI, Bruno. "Ricerca di comodità in una poltrona scomoda", 1950. En: Far vedere l'aria. Ed. Lars Müller. Zürich, 1995.

2. Según Pablo Palazuelo, la imaginación intuitiva no sería un estado del subconsciente, sino que sería un estado de imaginación preconsciente. En: PALAZUELO, Pablo. Geometría y visión. Diputación Provincial de Granada, 1995.

3. BAUDRILLARD, Jean. El crimen perfecto. Ed. Anagrama. Barcelona, 1996.

Jean Nouvel. Fondation Cartier, Paris
Toyo Ito & Associates. Mediateca, Sendai, Miyagi

FILO

Mediatheque TOYO ITO ***Architecture has traditionally been linked with nature through figuration of movements of vortices occurring in water and air. With contemporary architecture, we must link ourselves with the electronic environment through figuration of information vortices. The question is how we can integrate the primitive space linked with nature and the virtual space which is linked with the world through electron network. Space which integrates these two types of bodies will probably be envisaged as electronic and biomorphic one. For, just as the figure of a living body represents the loci of movements of air and water, the virtual space will most likely be figured as the loci of human activities in the electronic flow. The mediatheque seeks to find the place to integrate these two bodies in an attempt to dissolve the archi-type based on the relation between the conventional media and the human body to create a completely new archi-type. The proposal is not that of a form but the prototypical and substantial proposal of structure which is natural flow as well as electronic flow.***

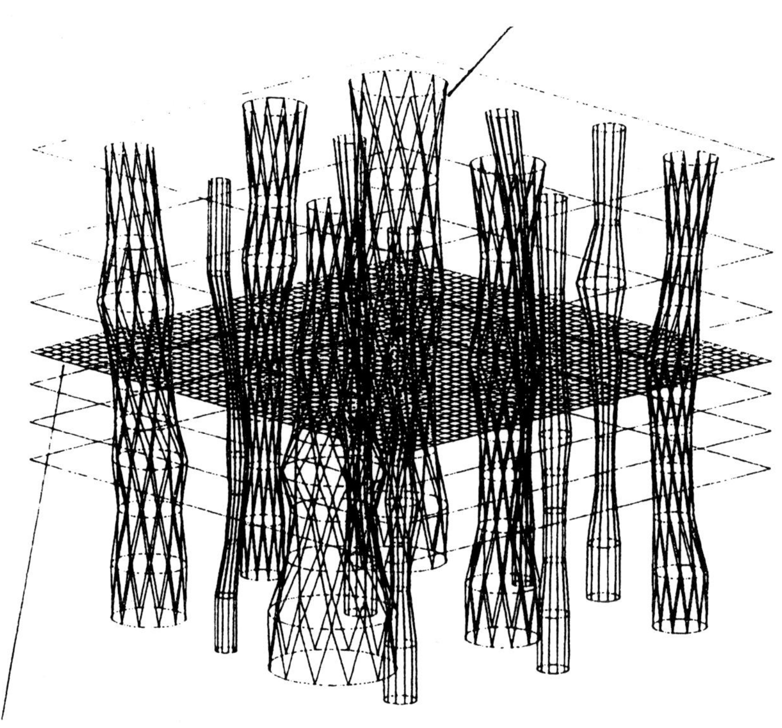

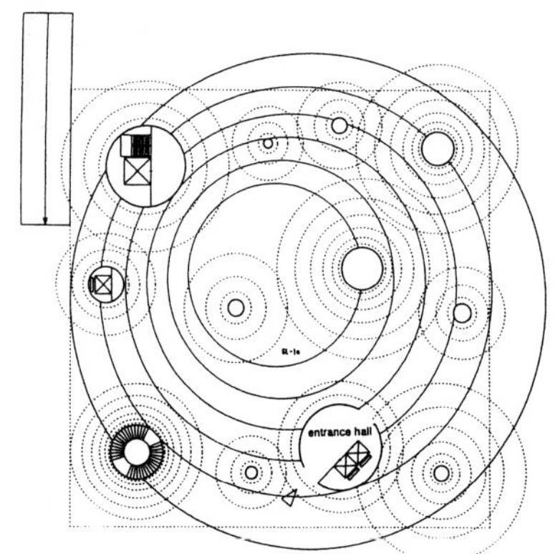

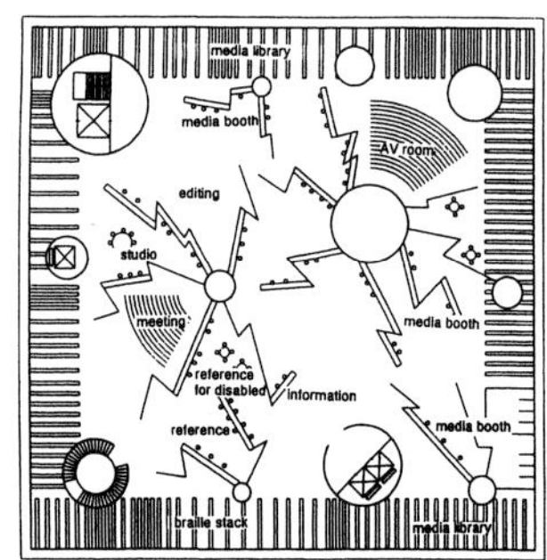

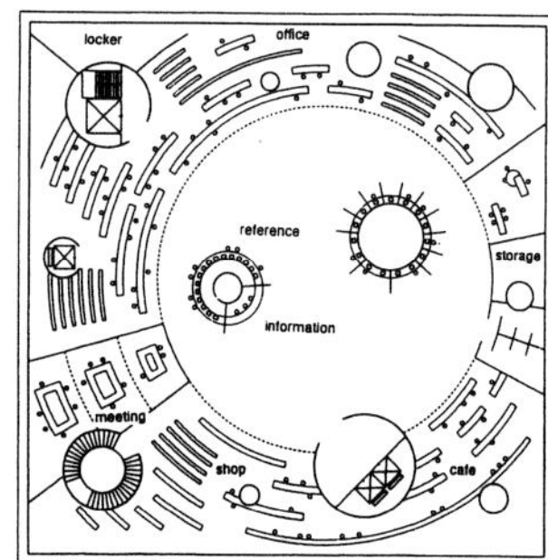

Mediateca *TOYO ITO* ***Tradicionalmente, la arquitectura se ha vinculado con la naturaleza mediante la figuración de vórtices en el agua y el aire. La arquitectura contemporánea tiene que relacionarse con el entorno electrónico mediante la figuración de vórtices de información. La cuestión es cómo podemos integrar el espacio primitivo asociado a la naturaleza con el espacio virtual que se conecta al mundo a través de la red de electrones. Un espacio capaz de integrar estos dos elementos se concebirá probablemente como un espacio biomórfico y electrónico. En efecto, del mismo modo en que la figura de un cuerpo representa el locus de los movimientos del aire y el agua, el espacio virtual se concebirá probablemente como el locus de las actividades humanas en el flujo electrónico. La mediateca pretende encontrar el lugar donde integrar estos dos cuerpos y disolver el arquetipo basado en la relación entre los medios de comunicación convencionales y el cuerpo humano, a fin de crear un arquetipo completamente nuevo. La propuesta no consiste en una forma sino en una estructura prototípica y substancial que integre el flujo natural y el flujo electrónico.***

El hall del Hospital de Mar de Manuel Brullet y el de la Biblioteca Pública de Murcia de José María Torres Nadal.
Los interiores son tratados como paisajes, el mobiliario se convierte en edificación
The Halls of Manuel Brullet´s Hospital de Mar and José María Torres Nadal´s Murcia Public Library
The interiors are designed as landscapes, the furniture becomes a built object

Hospital de Mar MANUEL BRULLET ***The refurbishing of this hospital represents one process more in a series of operations carried out on Barcelona's sea front with a view to recovering the city's direct relationship with the sea. The intervention consolidates two existing buildings —a high-rise block and a series of pavilions—, and introduces a new building in an operation which redefines internal organisation and gives the complex its unitary image. The entrance for pedestrians is on Passeig Marítim, passing beneath the new building, and leads into the main hall of the hospital complex, a covered but not entirely closed canopy which acts as the main distributor in the project. This is the point of confluence of vehicle access from the Parc de la Catalana, also leading to a shopping mall and outpatient surgery. In addition to its role as a distributor, the canopy is conceived as an informal foyer, a place for meeting and strolling. In formal terms it aims to offer a restful, emblematic, central space for the whole hospital complex, providing a link between the three buildings around it, which also take their scale from it. The half-open structure of the building both protects a series of natural outdoor elements and takes the gardens and green areas of the outside part of the hospital inside.***

Hospital de Mar MANUEL BRULLET ***La rehabilitación de este centro hospitalario se suma a un conjunto de operaciones realizadas sobre el frente marítimo barcelonés destinadas a recuperar la fachada al mar de la ciudad. La intervención consolida dos edificios existentes, un bloque en altura y una serie de pabellones, a los que suma un edificio de nueva planta, en una operación que redefine la organización interna y dota al conjunto de una imagen unitaria. El acceso peatonal se produce desde el Paseo Marítimo, bajo el edificio de nueva planta, y conduce al hall principal del conjunto hospitalario, un palio cubierto pero no completamente cerrado, que es el elemento distribuidor principal del proyecto. En él confluyen el acceso rodado desde el Parque de La Catalana. Desde él se accede a una área comercial y a la zona de consultas externas. Además de actuar como distribuidor, el palio está pensado como vestíbulo informal, como lugar de encuentro y pasos perdidos. Su formalización persigue el ofrecer un espacio reposado, emblemático y centralizador de todo el conjunto hospitalario; sirve de nexo de unión y dota de escala a los tres edificios que relaciona.***
La estructura semiabierta del edificio protege por un lado el conjunto de los elementos naturales exteriores y por otro incorpora los jardines y espacios verdes del exterior al interior del conjunto.

Murcia Public Library *JOSÉ MARÍA TORRES NADAL* ***The library is based on a very precise relationship between the complexity and versatility of the programme and the architecture which backs it up, not in terms of formal relations with a silent setting; a rectangular site in an area of growth in Murcia –without the reference of memory or history–. Three platforms are built, all the same size but distinguished by variations in the programme: an information-exchange centre on the ground floor, a room for all types of information on the second and a library devoted to Murcian culture on the top floor. What sets them apart are the irregularities arising from the brief: the route traced out around them, the bridges which avoid two routes crossing and above all the treatment of light: a series of skylights running through the third level to light the floor below.***

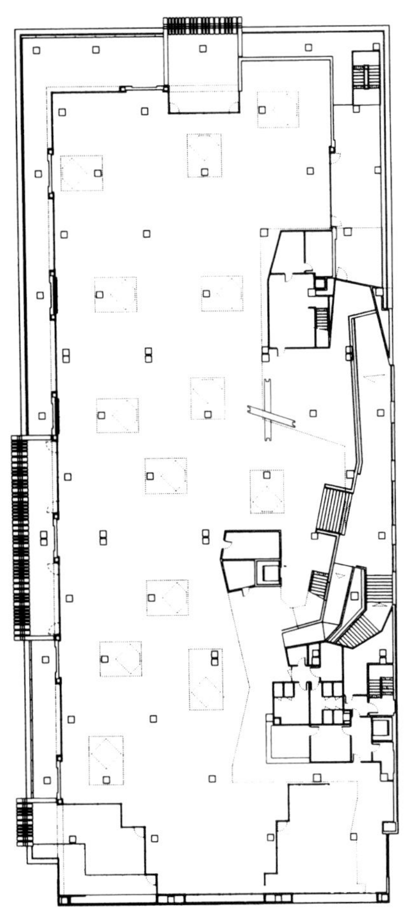

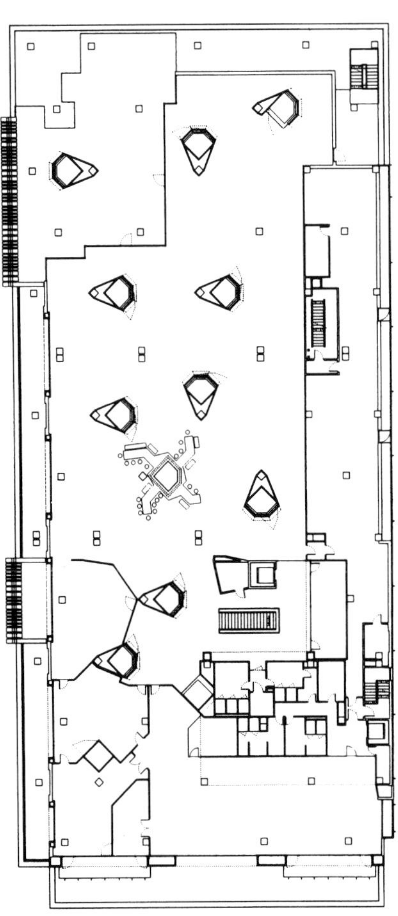

Planta primera, segunda y de cubiertas

First, second and roof plans

Biblioteca Pública de Murcia *JOSÉ MARÍA TORRES NADAL* ***La biblioteca se apoya en una relación muy precisa entre la complejidad y versatilidad del programa y la arquitectura que lo apoya, no en relaciones formales con un entorno mudo —un solar rectangular en una zona de crecimiento de Murcia— sin memoria ni historia a las que referirse. Construye tres plataformas del mismo tamaño, diferenciadas por las variaciones en el programa: un centro de intercambio de información en planta baja, una sala para acoger todo tipo de información en la segunda y una biblioteca dedicada a la cultura murciana en la última. Son los accidentes que provoca su uso lo que diferencia las tres plantas: la manera de recorrerlas, los puentes que evitan el cruce entre dos tránsitos y, sobre todo, el tratamiento de la luz: una serie de lucernarios que atraviesan la tercera planta para iluminar la segunda.***

FORNDEPA ARTESA
BOLLERIA TUR
нerpa

La presencia de la ciudad antigua en el edificio de viviendas de Josep Llinas o la paisajística vivienda de Winy Maas afecta la calidad volumétrica de los espacios interiores

The presence of the old city in Josep Llinas residential housing as well as Winy Maas´ landscape like house affects the volumetric quality of the interior spaces

Residential Housing JOSEP LLINAS ***This apartment block is fitted into the dense urban fabric of Barcelona's old city in the form of an arrangement designed to create more space for the narrow proportions of the surrounding streets –four metre sections of street and sixteen -metre high buildings– thereby improving the urban conditions. Council planning allowed a complete occupation of the site. Nonetheless, the building groups the apartments into three almost unrelated volumes which are placed along the new alignment marked out at ground level. This provides the opening to the funnel formed at this point by Carrer del Carme to make the most of its hustle and bustle and create a degree of visual communication along Carrer Roig, the street at the corner of which the building is situated. The volumes which comprise the building return to the original height to provide the planned number of apartments.***

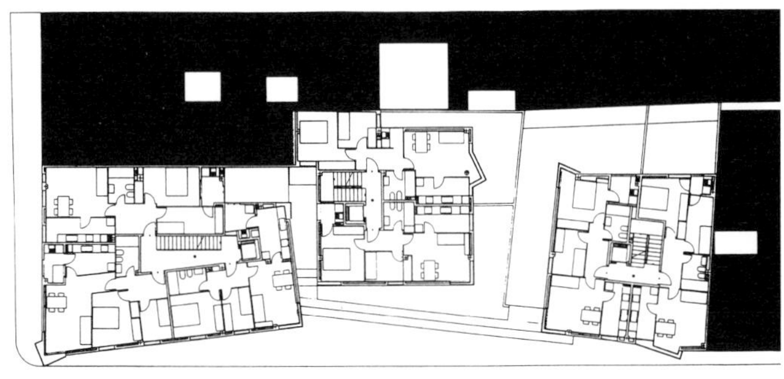

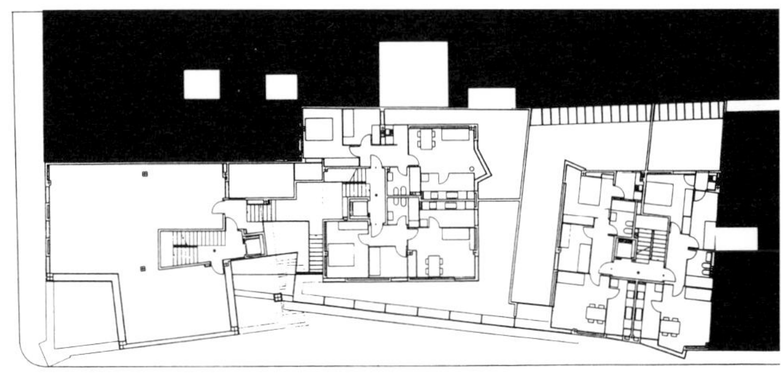

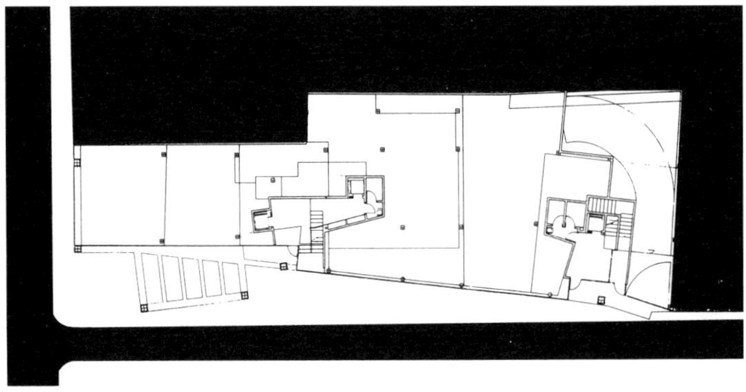

Planta tipo, primera y baja

Typical, firstand ground floor plans

Edificio de viviendas JOSEP LLINAS ***La inserción en la compacta trama urbana del casco antiguo de Barcelona de este edificio de viviendas pretende esponjar las angostas proporciones del viario circundante —cuatro metros de sección de calle y edificios de dieciséis metros de altura—, y mejorar así sus condiciones urbanas.***
La planificación municipal permitía ocupar la totalidad del solar. A pesar de ello, el edificio agrupa las viviendas en tres edificios casi exentos que se sitúan basculando sobre la nueva alineación planteada en planta baja. Se abre así el embudo formado en ese punto por la calle del Carme para aprovechar la actividad y la intensa vida de ésta y permitir cierta comunicación visual a través de la calle Roig con la que hace esquina el edificio. En altura, los volúmenes que componen el edificio recuperan la alineación original para a obtener el número de viviendas previsto.

Two under one roof MVRDV ***In a residential area located next to the Wilhelminapark in Utrecht a new unknown link emerges, inhabited by two families, both looking for the best orientation towards de park, as well as the best accessibility to the rear garden. In order to fulfil such requirements, the party wall is used as a "theurapeutic element" through which the disposition of the living spaces in both dwellings negotiates. The bedrooms are located in the intermediate landings of the different levels.***

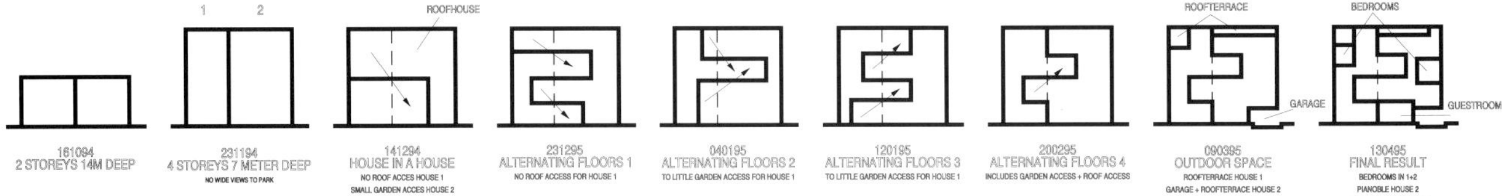

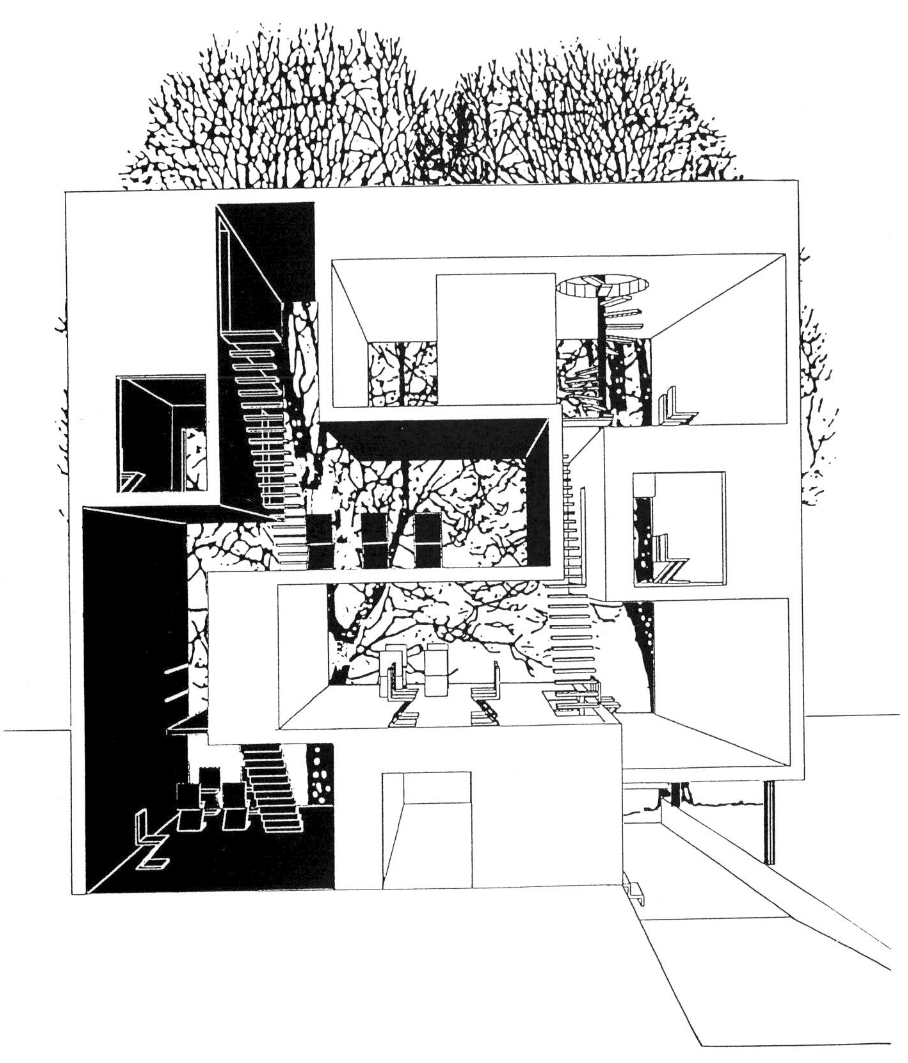

Dos bajo un techo MVRDV ***En una área residencial junto al Wilhelminapark en Utrecht aparece un nuevo eslabón desconocido, ocupado por dos familias, buscando ambas la máxima orientación posible sobre el parque, así como la misma accesibilidad hacia el jardín posterior. Para llegar a cumplir dichas exigencias, la medianera se emplea como "medio terapéutico" a través del cual negociar la disposición escalonada de los espacios habitables de ambas viviendas. Los dormitorios se ubican intermedios entre las plantas.***

A discussion of the individual in the city as landscape

JOCHEM SCHNEIDER

1. Introduction

"The City as Landscape. As it is, the city for the hearing is a mobile, highly structured being, more though to the seeing it provides inexhaustibly; the city as landscape, as colorful permanently changing image provides a wealth, an abundance that long sequences of mankind will never exhaust." [1]

At the beginning of the century the architect, philosopher, and writer August Endell (1871-1925) developed his ideas of urbanity. He titles an essay from 1908 The Beauty of the big City, *in which he outlines a model using landscape as descriptive means for the city. Today this text seems surprisingly present and contemporary, as, nearly ninety years ago, it deals with phenomena that still -or again- dominate many related discussions: The discoverer of the city as landscape is the perceiving person, the seeing, hearing, smelling, tasting being with its potential for imagining. The individual introduces the interpretive model of landscape into the urban context.*

The understanding of landscape rids itself of geographical location, of the object of space and turns into an immaterial subjective construction. The image of the landscape lets the modern city appear as an accumulation of various sensations.

"Our large cities are still so young that their beauty is yet to be wholly discovered. And as every cultural asset, every new beauty bewilders at first, meets distrust and heavy insults, so it is here. Time brought about an immense growth of cities, gave birth to poets and artists, who began to feel the beauty and created their works from this beauty." [2]

*Today the immense growth of cities is yet again a basis for many urban theories –*Edge City, Hyperville, Megalopolis, Urban Sprawl, Zwischenstadt *(intermediate city/the city in between),* Stadtregion *(urban region), describe phenomena that define themselves through the in between of city and countryside and express an altered understanding of the meaning of landscape.*

Times have changed-yet: what does the landscape in the city look like today? Is it still the "poets and artists" who "see the landscape", like they did in the 17th century when they defined a new understanding of landscape with their paintings and descriptions? They carried their individual image of landscape into the public and formed a new view of the environment - perilous nature turned into contemplative landscape. An esthetical awareness was created that demanded distance and abstraction: the farmer or forester doesn't see the landscape where he does his daily chores. Who is it that discovers the city as landscape today?

Today, as at the beginning of the century, the discussion about the subjective image of urban landscape is accompanied by an understanding of landscape as nature in the form of trees, hills and forests. Landscape is often affiliated with the original in contrast to the artificial. Since Adorno's definition of "Kulturlandschaft" *(cultural landscape) this is no longer valid. To continue to declare landscape as antagonist of city, to sustain the categorical differentiation of nature and artifact in spite of global urbanization and environmental changes is a perception that is tied to a romantic understanding of nature. A departure from the ideal of nature as the original, the good, the true doesn't imply that the demand for a good and healthy life has to be banished. The alleged contrast of human being and machine, of preservation and progress, that has evolved in the modern era cannot be solved by falling back on the pre-modern position of good Mother Nature which didn't exist even in former days. That the landscape of the countryside is still fundamentally different than the landscape of the city isn't questioned. This divergence isn't to be accommodated, as:*

La tematización del sujeto en la ciudad como paisaje

JOCHEM SCHNEIDER

1. Introducción

"La ciudad como paisaje. Si la gran ciudad ya es para áquel que la oye un ser animado y ampliamente articulado, deleita inagotablemente a áquel que la ve; la ciudad como paisaje, como imagen colorida, eternamente cambiante ofrece una riqueza, una abundancia que las sucesivas generaciones no pueden agotar." [1]

*A principios del siglo, August Endell –arquitecto, filósofo, pedagogo y literato, (1871-1925)– desarrolló sus ideas sobre las ciudades. En su ensayo de 1908 –*Die Schönheit der großen Stadt (La belleza de la gran ciudad)*–, esboza un modelo paisajístico para la descripción de la ciudad. Hoy el texto nos parece sorprendentemente actual y oportuno, porque recoge, con casi noventa años de anticipación, fenómenos que siguen definiendo –o vuelven a definir– el debate: el descubridor de la ciudad como paisaje es la persona que percive, el sujeto que ve, que oye, que huele y que saborea, con su capacidad de imaginación. El individuo introduce el paisaje como modelo interpretativo en el contexto urbano. El concepto de paisaje se desliga del lugar geográfico, del espacio como objeto real y se convierte en construcción inmaterial, subjetiva. La imagen del paisaje hace que la gran ciudad moderna parezca un panóptico de las más diversas impresiones sensoriales.*

"Nuestras ciudades son aún tan jóvenes que su belleza no se ha descubierto hasta ahora. Y como cualquier bien cultural, como cualquier belleza nueva, primero extrañan, suscitando recelos e insultos vehementes. Esto mismo es lo que ocurre aquí.
La época que engendró el inmenso crecimiento de las ciudades dio también poetas y pintores que comenzaron a percibir su belleza y que construyeron sus obras a partir de ella." [2]

El inmenso crecimiento de las ciudades vuelve hoy a ser el punto de partida de numerosas teorías sobre la ciudad: Edge City, Hyperville, Megalopolis, Urban Sprawl, Zwischenstadt, Stadtregion *describen fenómenos que se definen en la zona intermedia entre la ciudad y el campo y que son la expresión de un concepto del paisaje modificado. Los tiempos han cambiado. No obstante, ¿como se ve hoy el paisaje de la ciudad? ¿Todavía son "los poetas y pintores" los que "ven el paisaje", como si con sus pinturas y descripciones en el siglo XVII ya hubiesen establecido*

Passage Jouffroy, *Melly, George,* Paris and the Surrealists, *London 1991*

En el París de los años veinte los surrealistas salen en viaje de descubrimiento de lo cotidiano.
Louis Aragon busca en su obra* Le Paysan de Paris *los elementos paisajísticos de la ciudad, la confusión entre el interior y el exterior de los pasajes de París, los lugares de la zona intermedia.
Su naturaleza es la ciudad. El campo se desmitifica.
Los campesinos, en tiempos pasados autores del mito, han trasladado su campo a París.

In the Paris of the Twenties the surrealists take discovery trips of day-to-day life. In "Le Paysan de Paris" Louis Aragon searches for the landscape in the city, for the mistaking of inside and outside in the Parisian arcades, looks for the "in-between" spaces. His nature is the city. The countryside is demystified. The farmers, creators of the myth, have moved their fields to Paris.

"I will only talk about the modern city that, with very few exceptions, is a hideous creation. The houses are screaming but yet are dead, the streets and places barely cater the basic needs lack spatial life, diversity, and variation in their monotonous dragging on. ... Yet even here in this appalling heap of stones beauty is alive. Even here there is nature, there is landscape. The changing weather, the sun, the rain, the fog extrude a strange beauty from the hideous." [3]

By disengaging the notion of landscape from its strict association with land and interpreting it in a tradition of an understanding of urbanity, may open the possibility to find qualities in the existing that lie beyond scientific limits and parameters. Using the perception of the individual as orientation opens categories of urbanity that are of great relevance for the current discussion about cities. Should we understand architecture and urban design as cultural work, the constant societal and social changes imply a demand for a constant reflection on acceptable planning models that represent these changes in spatial concepts.

2. Two kinds of City

"One can differentiate between two kinds of urban images: The ones that are consciously formed and the others that happen unintentionally. The first arise from an artistic desire ... The second however without having been planned. They aren't compositions, ... but creations of chance that have no responsibility. Such an urban image ... is shaped consciously as little as nature is and matches a landscape by its unconscious assertion. Unconcerned about its face it slumbers through time. This landscape is the un-placed Berlin. The understanding of cities is linked to the decoding of their images uttered as in a dream ." [4]

In this short text from 1931 Siegfried Krakauer describes two kinds of city: The planned and the non-planned, the conscious and the unintentional. He describes the adjacency of grown, "contrasting" and hard structures as landscapes that assert themselves unconsciously. For him a perception of city is only possible if the inhabitant is able to see and read the city in images uttered as in a dream.

The discussion about city and landscape is determined by these cognitive processes until the present day: The individual discovers situations in the city that weren't planned. Their existence is coupled to the perceptive capability of the viewer/inhabitant. Not everybody acknowledges landscape and not everybody recognizes the same. It turns into a an interpretive form of urbanity.

Two models of the city with with seemingly conflicting interpretive possibilities can be noted:

a) The objective city: Based on our economical order the city is interpreted as a dispositional mass. She is raw material and product at the same time. The instrumentalization of land and of building is controlled by supply and demand and allows people to economize.

Los dadaistas organizan paseos alrededor de la ciudad a lo largo de rutas de la banalidad. "¿Hay algo más inspirador, más productivo, más estimulante en el sentido positivo que una plaza pública?", pregunta. La lectura de un manifiesto convierte un cruce de calles de la periferia en una plaza. En el reconocimiento de la normalidad hay una pieza del descubrimiento del paisaje urbano.

The Dadaists organize sight-seeing tours along the routes of the banal. "Is there anything more charming, more rewarding, in a positive sense more arousing than a public place?" they ask. Reading a manifesto turns a street crossing in the periphery into a active space. A part of the discovery of urban landscape is inherent to discovering normality.

***Théodore Fraenkel,* Excursion**
DADA: Saint Julien le Pauvre, 1921
The Power of the City, The City of Power
Whitney Museum of Amerian Art,
New York, 1992

el concepto moderno de paisaje? Trasladaron su particular imagen del paisaje al público y forjaron así una manera nueva de ver el entorno: la naturaleza amenazadora se convirtió en paisaje contemplativo. Se produjo una concienciación estética que exigía distancia y abstracción: si el labrador o el leñador no ven el paisaje en el lugar dónde realizan su trabajo diario, ¿quién ha descubierto hoy la ciudad como paisaje? El debate sobre la imagen subjetiva del paisaje urbano se acompaña, tanto hoy como al inicio del siglo, de una comprensión del paisaje como naturaleza verde en forma de árboles, colinas y bosques. El paisaje está ligado muchas veces a lo primitivo como imagen opuesta a lo artificial, contraposición que dejó de ser defendible sobre todo a partir del trabajo conceptual de Adorno sobre el paisaje cultural. Definirlo, de ahí en adelante, como aquello opuesto a la ciudad, mantener la diferencia categórica entre naturaleza y artefacto a pesar de la urbanización mundial y la transformación del entorno, es una idea que aún está vinculada a una comprensión romántica de lo natural. Un distanciamiento del ideal de lo natural como primitivo, bueno y verdadero, no implica de manera alguna que se hayan de abandonar las exigencias de una vida sana y buena. El contraste conceptual entre hombre y máquina, entre conservación y progreso, tal y como se ha desarrollado en la época moderna, no puede dejar de tener en cuenta las posiciones premodernas que lo vinculan a la buena madre naturaleza, entonces inexistente.

No se cuestiona el hecho de que el concepto paisajístico del medio rural siga siendo básicamente diferente del de la ciudad... aquí no se habla de una nivelación de esta diferencia. Porque:

"Sólo quiero hablar de la ciudad moderna, que con muy pocas excepciones es detestable como configuración. Edificios chillones y, a pesar de ello, muertos; calles y plazas apenas suficientes para las necesidades prácticas, sin vida local, sin diversidad, sin alternancia se extienden monótonamente... Y a pesar de todo, también aquí, en estos montones de piedra gris, vive la belleza. También aquí hay naturaleza, hay paisaje. El tiempo cambiante, el sol, la lluvia, la niebla forman una rara belleza a partir de la fealdad sin esperanza." [3]

Desligar el concepto de paisaje de su acepción estrictamente rural e interpretarlo en la tradición de una lectura ciudadana, plantea la posibilidad de reconocer cualidades en lo existente, que residen más allá de los valores de límite y coeficientes científicos. Aparecen categorías de lo urbano que son de creciente relevancia en el debate actual sobre la ciudad. Si entendemos la arquitectura y el urbanismo como trabajo cultural, la existencia de continuos cambios sociales implica también la necesidad de plantear una reflexión permanente sobre modelos firmes de planificación que hagan comprensibles estas transformaciones de los conceptos de espacio.

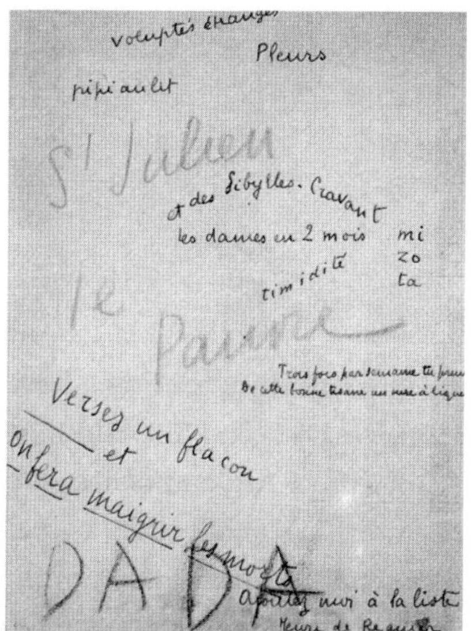

2. Dos clases de ciudad

"Se pueden diferenciar dos clases de imágenes de ciudad: por un lado la de las que han sido modeladas conscientemente, y por otro la de las que surgen sin premeditación. Aquellas proceden de voluntades artísticas... Estas, en cambio, se forman sin planificación previa. No son composiciones..., sino fruto del azar que no permite que se les pida cuentas. Una imagen de la ciudad de este tipo... está tan poco configurada como la naturaleza y parece un paisaje natural, que se sostiene inconscientemente. Sin preocuparse por su aspecto se va dibujando a través del tiempo. Este paisaje es el Berlín auténtico. El conocimiento de las ciudades está ligado a la posibilidad de descifrar sus imágenes de ensueño." [4]

En este breve texto de 1931, Siegfried Kracauer describe dos clases de ciudades: la planificada y la no planificada, la modelada conscientemente y la surgida sin premeditación.

The city is defined by its use. Public space is categorized as monitored –meaning safe and usable– and unmonitored meaning unsafe, dangerous and not easily usable. Through her seeming objective describalility the city is related to the image of being scientifically sound, calculable, rational and organized, controlled and reoccurring. Financing of city is the prime interest: How much public space can we afford?
b) The subjective city: As a seeming antipode to the prior the coincidental, irregular and irrational city can be established.
This is the space for individual action and experience that –from a selected viewpoint– can replace the universality. Characterized by viewing and observation instead of by explanation, the individual feeling stands above the demand for finite definition. This reality may often be granted but is rarely the basis for any dimension of planning. Though we must realize that objective planning of cities is no longer certified, the subjective reality of the city, if acknowledged at all, is generally ignored in a desire for safety in a time that is dominated much more strongly by the changing of individual life-spaces than by consistency and stabilizing of societal conditions.
Should we open ourselves to these insecurities and no longer see them as threat but as enrichment enhanced by multitude; should the many life-spaces no longer be seen only as subjective, personal reality but accepted as urban and thus public reality, we need to ask about the consequences of these procedures for planning. If the long discussion of post-modernism, of Complexity and Contradiction *or* Collage City *achieved anything, it is mainly that many forms of reading city exist not only as a multitude of shapes but as differentiated spaces of action of the inhabitants. Viewing the model of city as landscape may possibly establish a structure that recognizes and qualifies these individual life-spaces as fundamental part of the city.*
City in the singular form no longer exists, only the plural as in cities though this perception is already old. Yet in a scientifically and technically defined society, in a positivistic tradition of the 19th century, we still try to reduce the multifaceted city to few determinants. Reality is more flexible and adaptable than science also more pragmatic. A multitude of public evolves within the urban landscape that was never planned as such. They are often marginal spaces that liberate themselves in their typology from the traditional notion of place. By being chosen as meeting place they are transformed into public space. Though they already have a long history as physical space they need this re-evaluation by utilization. Different groups of interest qualify these spaces in the city as public by their actions. Space is subject to a constant valuation and de-valuation, a being in or out. Different forms of acquisition mechanisms cause different forms and rituals of use: parasitic mechanisms and nomadic migration characterize these processes.
The model of the city as landscape seems valid for describing these procedures, when for instance, it takes on the periphery and validates the experience-space of an individual. This procedure can be illustrated by day-to-day rituals that identify a desire for a topographical experience: Bunjee-jumping in urban places, skating in urban deserts, free climbing under bridges, half-pipe

André Breton recorre la ciudad con su amiga Nadja. Sobrepone subjetividad y objetividad, realidad e imaginación. En una especie de danza en corro asociativa describe la ciudad también como paisaje cuando, por ejemplo, habla de la fuerza luminosa radiante del anuncio de Mazda.
André Breton take trips through the city with his girlfriend Nadja. He overlays subjective and objective, reality and imagination. In an associative poem he also describes the city as landscape, when for instance talking about the "shining luminosity" of the Mazda commercial.

Cartel Mazda Mazda Poster
Breton, André,* Nadja, *Suhrkamp, Frankfurt

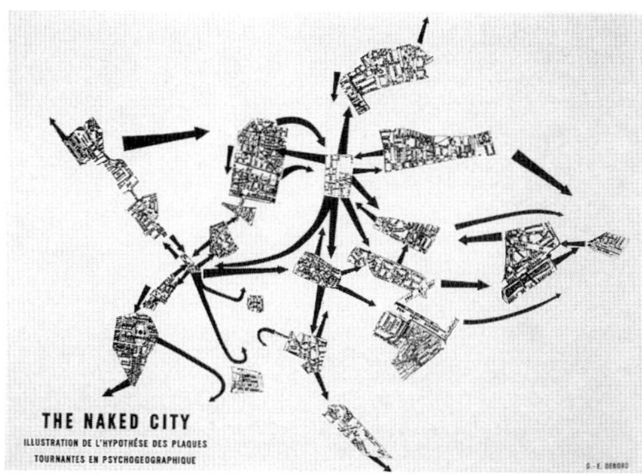

***Guy, Debord,* The Naked City**
Situacionistas, Situationists, *MACBA, ACTAR,*
Barcelona, 1996

Denomina paisaje que se sostiene inconscientemente al conjunto de estructuras que han crecido sola, contradictorias y duras. Para él, el conocimiento de la ciudad sólo es posible si los habitantes están en situación de verla y entenderla en sus imágenes de ensueño.

Hasta hoy, el debate sobre la ciudad y el paisaje viene definido por este proceso perceptivo: el sujeto descubre situaciones en la ciudad que no han sido planificadas, cuya existencia no está ligada a la capacidad de percepción de los espectadores/habitantes. No todo el mundo reconoce el paisaje y no todo el mundo lo hace de la misma manera. El paisaje se convierte en una forma de interpretación de lo urbano. Sin embargo, pueden constatarse dos modelos de ciudad con enfoques interpretativos aparentemente contradictorios:

a) La ciudad objetiva. Basándose en nuestro orden económico, la ciudad se interpreta como conjunto de reglamentaciones. Es materia prima y producto al mismo tiempo. La instrumentalización del suelo y de la construcción funciona según la ley de la oferta y la demanda y sirve a las personas en el aspecto económico. La ciudad se caracteriza por su uso. El espacio público se divide en vigilado, es decir, seguro y por tanto aprovechable y en el espacio sin vigilar que se considera inseguro, peligroso, y por tanto difícilmente utilizable. En su descripción aparentemente objetiva, esta ciudad está ligada a la imagen de lo científicamente asegurado y calculable, a lo racional y organizado, controlado y regulado. Por encima de todo está la capacidad de financiación de la ciudad: ¿cuánto espacio público podemos permitirnos?

b) La ciudad subjetiva . Como aparente polo opuesto, en este caso puede establecerse la ciudad del azar, irregular e irracional. Es el espacio de actuación y el de las vivencias del individuo, que con mirada selectiva rescata el universalismo como categoría. Marcado por la contemplación y la consideración más que por la explicación, el sentimiento individual se sitúa por encima de la exigencia de una definición determinada. Generalmente esta realidad se da de forma plena, presentando sólo raramente una dimensión planificadora, aunque hoy tengamos que reconocer que ya no puede garantizarse la planificabilidad objetiva de la ciudad -vista de forma general su realidad subjetiva se ha transformado considerablemente-, en el anhelo de seguridad de una época que se identifica mucho más con la variabilidad del proyecto de vida que con la permanencia y consolidación de las situaciones sociales.

Si nos abrimos a aquellas inseguridades y podemos interpretarlas, no como amenaza, sino como enriquecimiento gracias a la variedad; si aceptamos el gran números de mundos vitales, no sólo como realidad subjetiva y personal, sino también como realidad urbana y por tanto pública, tenemos que plantearnos las consecuencias de este acontecimiento para la planificación. Si el largo debate sobre el postmodernismo, *sobre* complejidad y contradicción, *sobre* collage city *ha clarificado alguna cosa, es sobre todo el hecho de que existen un gran número de lecturas de la ciudad, no como multiplicidad de formas, sino como diferentes marcos de actuación de los habitantes. Posiblemente, la consideración del modelo de la ciudad como paisaje genera una estructura que ayuda a reconocer y calificar estos mundos vitales individuales como componentes fundamentales de la ciudad.*

En los años cincuenta los situacionistas, con su estrategia de la* dérive, *asumen la tradición de la ciudad como paisaje. En las guides psychogéographiques documentan un trozo de notación experiencial subjetiva del paisaje ciudadano.
Dérive *designa el encuentro efímero de distintas atmósferas, mientras se callejea sin meta por la ciudad, realizando experimentos topográficos.*
With their strategy of dérive *the situationists, in the Fifties, take on the tradition of city as landscape. In the guides psychogéographiques they document a piece of positivist experience of the urban landscape.* Dérive *describes the transitory meeting of differing atmospheres while moving aimlessly within a city conducting topographical experiments.*

surfing in industrial waste-land. A distinction between artificial and natural is no longer important, a surprising re-valuation of existing spatial situations takes place by their new utilization.

When open space is available the ingenuity of forms of utilization knows no boundaries. These urban rituals demand reformed kinds of valuation and planning. For contemporary planning a dispositional imagination seems more important than a definitive concept of built environment; a performance-oriented concept of space as action-void is more relevant than a concept of form.

To be able to rid oneself of the traditional criteria of evaluation, from the stigma of an architectural discourse it is often helpful to take on the viewpoint of a stranger. A craving for the speculative allows to approach reality as a possibility more than the quest for securities.

Or –adapting to another figure that corresponds to this tradition: the wanderer. He wanders through the landscape to experience and discover. Directed with no goal in mind or directed by no-goal-in-mind. He perceives, takes in what happens around him without pursuing a pre-defined goal. Yet it is more than contemplation. The unintentional aimlessness is the nucleus of this esthetical landscape-experience.

Lucius Burkhardt[5] always described himself as "scientific wanderer" –seeking the ever ordinary. Not by coincidence, based on this activity, he turned to the question of landscape in the city. He pursued this in a scientific way that can be traced through the entire 20th century.[6]

3. Landscape

Landscape was once described as an image: ***"Landscape is primarily ... the sensual impression a person has that is created by a section of the surface of the earth including the sky above."*** [7]

This subjective approach opposes a general objective geographical understanding. Here landscape is: "Part of the earth's surface that is defined by the ground, the vegetation, and the form of population and thus differs from other parts of the earth." [8]

The personal form of perceiving landscape as model of perception becomes clear by one description that defines landscape as a resort that ***"a member of the lower sociological class of a non-migrating populace can experience within his lifetime without having to travel, meaning a day-trip by foot in any direction away from his home"*** [9].

In this case an active approach becomes visible that is linked to the existence of esthetical landscape: movement as form of perception. Lucius Burkhardt visually pinpoints his concept by saying: ***"Landscape is not to be sought in nature but in our heads; landscape is a creation that helps a society that is no longer dependent from the soil to survive."*** [10]

George Maciunas, **Free Flux-Tours,** ***Mayo*** *May* ***1976***
Fluxus, ***Walker Art Center, Minneapolis, 1993***

Con el movimiento Fluxus se produce en 1962 una nueva edición del Tour de París. Benjamin, Patterson y Robert Filou interactúan entre las cuatro de la madrugada y las nueve y media de la noche con las personas que casualmente aparecen en el camino. En la performance se prueban formas específicas de percepción de la ciudad. En 1976 se vuelve a realizar una vez más una acción de este tipo: **Free Flux-Tour.** ***En un acto ritual de limpieza ciudadana se barre de manera conjunta la calle.***

In 1962 the Fluxus-group re-enacts the Tour de Paris. Between 4 a.m. and 9.30 p.m. Benjamin Patterson and Robert Filou interact with people that they meet en route by coincidence. In this performance an action-related perception of the city is tested. In 1976 a similar action takes place: the Free Flux Tour. In an act of ritual city-cleaning there is a joint street-sweeping action.

Ya no existe la ciudad en singular, sino las ciudades en plural, hecho constatado desde hace mucho tiempo. En una sociedad marcada por la ciencia y la técnica, intentamos, a pesar de todo, siguiendo la tradición más positivista del siglo XIX, fijar la multiplicidad de substratos de la ciudad a patir de unos pocos denominadores. La realidad es más flexible y tiene más capacidad de adaptación que la ciencia y también es más pragmática. Se forman un gran número de espacios públicos nuevos en el paisaje urbano que nunca fueron planificados como tales, que a menudo representan más bien superficies residuales y que se desligan por su tipología de los lugares tradicionales. No se convierten en espacios públicos hasta que se les escoge como punto de encuentro. Aunque ya hace tiempo que existen como formaciones físicas, hay que valorarlos mediante su uso. Con sus acciones, los distintos grupos de intereses cualifican estos lugares de la ciudad como espacios públicos. Están sometidos a un cambio continuo de valoración y de desvalorización, de in *y de* out.
Con mecanismos de apropiación se cambian formas de aprovechamiento y rituales de uso: mecanismos parasitarios y movimientos migratorios nómadas caracterizan estos procesos.
El modelo de la ciudad como paisaje parece adecuado para ilustrar estos fenómenos, cuando, por ejemplo, recoge situaciones locales periféricas y las valora como espacios de la experiencia del individuo. Este proceso puede ilustrarse en los rituales cotidianos, en los que se reconoce un gusto por las experiencias topográficas: puenting *en plazas ciudadanas, patinaje sobre desiertos urbanos, escalada libre bajo los puentes, y* half-pipe-surfing *en superficies industriales yermas. La diferencia entre artificialidad y naturalidad ya no tiene ningún sentido, se produce una sorprendente valoración de situaciones espaciales existentes mediante un cambio de uso.*
Cuando existe espacio libre como espacio disponible, parece que el número de nuevas formas de aprovecharlo que surgen no conoce límites. Estos rituales ciudadanos necesitan bases de valoración y de planificación modificadas. Para una planificación contemporánea, a primera vista parece más importante una fantasía disposicional que una idea configuradora de las construcciones determinada; una idea de espacio orientada a la acción como envolvente de actuación es más relevante que la idea de modelaje artístico.
A fin de liberarse de los criterios de valoración tradicionales, de la inercia de un discurso arquitectónico, a menudo parece de gran ayuda la mirada del forastero. Con el placer de la especulación, una aproximación a lo que es o puede ser realidad como posibilidad parece más posible que la búsqueda de seguridades.
O bien, para recoger otra figura que corresponde en alto grado a esta tradición: como el paseante que recorre el paisaje para experimentar y descubrir. Sin apuntar objetivo alguno. O sin objetivo alguno que apuntar. Percibe y absorbe todo lo que pasa a su alrededor, sin perseguir, por otra parte, un objetivo previamente formulado. Pero se trata también de algo más que de la simple contemplación... es la falta de intencionalidad, como núcleo de una experiencia paisajística estética.
Lucius Burkhardt[5] se ha calificado repetidas veces de "científico del paseo" en busca de lo cotidiano. Y no es casual que, basándose en esta actividad, se haya orientado hacia la cuestión del paisajismo de la ciudad, en una tradición de investigación científica que puede seguirse a través de todo el siglo XX.[6]

Bengt van Klintberg,* Street Cleaning, *1970

Ubi Fluxus, ibi motus, ***Venezia, 1990***

In a sense of exaggeration we declare that the Matterhorn no longer exists. The actual Matterhorn only exists on pictures and postcards. This means that the secondary image for us today is a primary experience. As it is artificially condensed it is much stronger and more present than the real Matterhorn. At the end of the Sixties the Austrian group Haus-Rucker-Co. works intensively with the landscape in the city. In 1972 they installed a walking-school in the pedestrian zone of Vienna: experience spaces like mountain, valley, and forest are created with different materials; for ten days passers-by walk through the installation and explore topographies and textures. Previously the group, for years, had already worked on collages and project about landscape: the passion for the mountains, the view of the peaks from the town center are dealt with as much as the individual experience of climbing the Matterhorn. For the Documenta in Kassel in 1977 they created the Rahmenbau *(frame-building): two rectangles set behind each other frame the view of the city. Analogously to the question within landscape painting – is man part of the landscape or not? – the audience is integrated into the picture. The untouched nature of the city? - In early works like* Klima 2 - Atemzone *they dealt intensively with the relationship body-environment.*

Haus-Rucker-Co,* Straßen-Naße, *Collage 1972
Bogner, Dieter (Ed),* Haus-Rucker-Co - Denkräume - Stadträume, *1967-1992

Haus-Rucker-Co,* All-Ein-Gang zum Matterhorn, *1974
Bogner, Dieter (Ed),* Haus-Rucker-Co - Denkräume - Stadträume, *1967-1992

Haus-Rucker-Co,* Gehschule, *Wien, 1972
Bogner, Dieter (Ed),* Haus-Rucker-Co - Denkräume - Stadträume, *1967-1992

En el sentido exagerado, de esta manera afirmamos que el Matterhorn ya no existe del todo. El Matterhorn real sólo existe en los cuadros y postales. Es decir, la imagen secundaria es, hoy, para nosotros, una experiencia primaria ya que, al ser artísticamente comprimida, resulta esencialmente más intensa y presente que el Matterhorn real. Al final de los años sesenta, el grupo austríaco Haus-Rucker-Co se dedicó intensamente a los paisajes de la ciudad. En 1972 instalaron una escuela móvil en la zona peatonal de Viena. Con distintos materiales crearon espacios paisajísticos de la experiencia, como montaña, valle y bosque. Los paseantes circulan durante diez días por la instalación y reconocen topografías y superficies. Previamente el grupo ya se había ocupado durante años del tema del paisaje en collages y proyectos: un anhelo de las montañas, la vista de las cimas en el centro de la ciudad se tematiza tanto como la experiencia individual del ascenso al Matterhorn. En 1977 concibió para Documenta de Kassel la obra Rahmenbau*: dos rectángulos conectados uno detrás del otro enmarcan la vista de la ciudad. De manera análoga a la cuestión de la pintura del paisaje -¿el hombre pertenece o no al paisaje?- el espectador se integra como parte del cuadro. ¿Naturaleza intacta de la ciudad? En trabajos anteriores con* Klima 2 - Atemzone *de 1971 se ocupan intensamente de la relación cuerpo y entorno.*

Haus-Rucker-Co, Ausstellung - Cover, Überleben in verschmutzter Umwelt, Klima 2 Atemzone, *1971*
BOGNER, Dieter (Ed), Haus-Rucker-Co - Denkräume - Stadträume, *1967-1992*

Haus-Rucker-Co, Rahmenbau, *Kassel (documenta 6), 1977*
BOGNER, Dieter (Ed), Haus-Rucker-Co - Denkräume - Stadträume, *1967-1992*

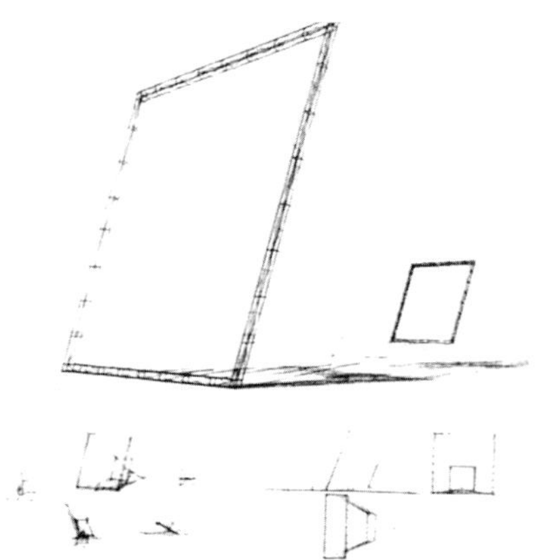

Landscape is interpreted as societal phenomenon. It is comparable to language: We have to learn its meaning and predication.
Landscape is equally prone to similar processes of exhaustion as language is. Should we be talking about landscape when describing the Pyrenees or the Coast of l'Emporda we're not talking about their objective naturalness but automatically relate them to personal experience and the collective use of language. This seems interesting as the concept is removed from the 'object' it describes.
The landscape being geographically depicted as a specific area with a special image that stands out from its environment –a region other than the rest –calls for a cognitive individual that can perceive these differences.
Ergo: Without perception no landscape. It's a personal construction, a cultural system of identification, a model of perception.
Even in the last century one realized that: ***"Not only does every century have its global ideology but it also has its landscape ideology."*** [11]
It would be most obvious to ask about the present-day view of landscape.

4. City and Landscape

"Give the city a small piece of the love you give to the countryside" Franz Hessel tells the population of Berlin. "If they only wanted to see the landscape in their city? If they hadn't the Tiergarten, this holy field for strolling - with its views of the sacred facades of the Tiergartenvillas, ... the Neue See whose bays and islands of trees are painted as memories ... - were this not, this city would still be full of the countryside. If only they could feel the sky that arcs the vaults of the elevated railway, spanned as blue as the mountain ranges of the Engadin, feel the silence rising from the permanent din as from the breaking waves and feel how the small streets in the center of town reflect the time of day as clearly as a mountain pass." [12]
Also with Walter Benjamin we encounter wandering as a form of landscape perception. Movement symbolically depicts the interaction between the individual and space. Experiencing the city as landscape the wanderer meets the saunterer, the walker meets the nomad, the climber meet the vagabond, ...
Today we are increasingly looking for descriptive models of the city in which the individual plays a lead role. Public space is continuously changing, is in a constant state of flux. By invalidating the defined places the fluid space as paradigm for planning urban landscape is replaced by the fluid movement. The active individual has (necessarily) passed beyond the rigidly defined open space.
The migrational tendencies of the various groups of interest define diverging claims to the open space: unemployed differ from business people, students from housewives, mechanics from homeless, intellectuals from skaters. Together, based on their actions and interaction, they form an altered definition of public for the urban space.
Landscape could take on a mediating role between the freely available and the acquired, between the seemingly undetermined

Tres personas desencadenan 60 explosiones cada una mediante los latidos de su corazón. Los residuos explosivos se extienden por el paisaje a lo largo de tres líneas de dos kilómetros de longitud. Con una longitud de 20 latidos se construye un espacio.
Con distintos proyectos, el grupo COOP Himmelblau intenta, por ejemplo, tematizar al mismo tiempo las relaciones entre el cuerpo y el entorno.
Three people trigger 60 explosions each by their heartbeat. The explosives are arranged in three lines each 2 kilometers long. Space is created for 20 heartbeats.
At about the same time the group COOP Himmelblau in various projects dealt with the relationship between body and environment.

Coop Himmelblau: **Harter Raum**
COOP Himmelblau **- Architektur ist Jetzt,** ***Stuttgart, 1983***

3. Paisaje

Antiguamente el paisaje se describía muy gráficamente así: **"Como paisaje se entiende, en primer lugar... la impresión global sensorial que despierta en las personas un fragmento de la superficie de la tierra junto con el fragmento de cielo que hay por encima."** [7]

*Este enunciado subjetivo se contradice con un concepto objetivo dominante en la geografía. En éste, el paisaje es una***"parte de la superficie de la tierra que mediante la configuración del suelo, el crecimiento y el poblamiento ha adquirido una marca especial que la diferencia de otras zonas."** [8]

La forma individual de captar el paisaje como modelo perceptivo queda clara en una formulación que define el paisaje como la zona **"que una persona perteneciente a las capas sociológicas más bajas de una población sedentaria puede llegar a conocer en el curso de su vida sin tener que "viajar", es decir, realizando desplazamientos de una jornada a pie desde el lugar donde vive hacia todas las direcciones."** [9]

Aquí se puede leer un inicio de acción que va ligado a la existencia del paisaje estético: el movimiento como forma de percepción.

Lucius Burkhardt precisa gráficamente esta idea cuando dice: **"No es en la naturaleza de las cosas, sino en nuestra cabeza donde hay que buscar el paisaje; es una construcción que sirve a una sociedad para percibir que ya no vive directamente de la tierra."** [10]

El paisaje se interpreta como un fenómeno social y se compara con el sistema del idioma: hay que aprender su significación y aserción, y está sometido tanto como él a desarrollos y procesos de desgaste. Por tanto, si hablamos de paisajes y denominamos de esta manera el Pirineo o la costa del Ampurdán, no pensamos en su naturaleza objetiva, sino los ponemos en relación automáticamente con unos niveles de percepción personales y un código idiomático colectivo. Esto parece interesante en la medida en que el concepto se vuelve independiente de su objeto.

Si el paisaje se describe gráficamente como una zona determinada con una apariencia especial que la destaca de su entorno –como objeto diferente de los demás–, un sujeto que percibe estas cualidades forma parte sustancial del reconocimiento de esta diferencia.

Por lo tanto: sin percepción no hay paisaje. Es una construcción individual, un sistema de identificación cultural, un modelo de percepción.

Ya en el siglo pasado se estableció que: **"Cada siglo tiene no sólo su visión del mundo, sino también su propia visión del paisaje."** [11]

Así, ¿qué hay de más inmediato que preguntarse por una visión actual del paisaje?

4. Ciudad y paisaje

"Dad a la ciudad un poco de vuestro amor por el paisaje", *dice Frank Hessel a los berlineses.* **"Si sólo quisiesen ver el paisaje de su ciudad. Si no tuviesen el Tiergarten, este sagrado bosquecillo de paseo con la vista de las sagradas fachadas de sus casas, ...ni el Neue See, desde el cual se dibujan en la memoria las calas y las islas arboladas ... -si no hubiese nada de eso, la ciudad seguiría siendo completamente paisaje. Si sólo se diesen cuenta del cielo por encima de los arcos del ferrocarril aéreo, extendiéndose tan azul como en la cordillera de Engiadina, de la calma que se levanta desde el bullicio como desde un rompiente de mar y o de las pequeñas calles en el interior de la ciudad que reflejan las horas del día tan claramente como las hondonadas de las montañas."** [12]

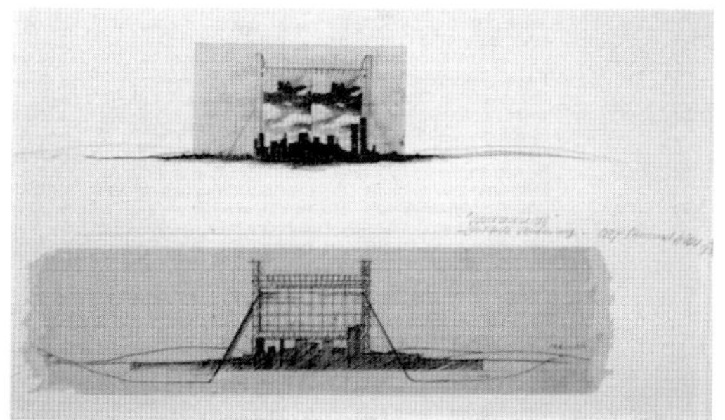

También Walter Benjamin entiende el pasear como una forma apropiada de percepción del paisaje. El movimiento representa simbólicamente la interacción entre sujeto y espacio. En la experiencia de la ciudad como paisaje, el caminante encuentra el flaneur, *el paseante el nómada, el escalador el vagabundo,...*

Hoy nos encontramos en una búsqueda intensificada de modelos de descripción de la ciudad, en la que corresponde al individuo un papel central.

***COOP Himmelblau:* Wolkenkulisse, (Horizontale Überbauung)**
COOP Himmelblau* - Architektur ist Jetzt, *Stuttgart, 1983

and the defined, between the subjective and the objective as in dealing with the esthetical model of the city as landscape one can make out interesting analogies to the concepts of the current planning discourse:

– the void is no longer nothing. It is elevated from a dispositional space for various unpredictable maneuverable demands to the goal of planning;

– multi-readability and non-determination have replaced functionality as paradigm for planning the public space;

– in a technically and economically optimized society vacant spaces, gaps, and niches are appreciated as spaces of cultural renewal within public urbanity;

– bodily sensation and the relation of the body to space are increasingly being discussed as part of urban planning;

– the landscape is hoped to "secure relative open spaces against the constraints of the existing culture and society.
Open spaces that don't merely relieve, but help develop the independent points of view and forms of behavior that bring about the active interventions in society and culture."[13]

This demand can be directly transferred to new strategies of planning open space.

Economical considerations of today's society will not allow these aspects to control urban development. They are not capable of generating city - they are not meant to. They profit from the re-structuring, from the re-cycling of leftovers, gaps, and holes. Processes take place that are capable of incorporation the time dimension in their development. They tend to settle in the existing more than engaging in independent creation. At length they may therefore be more resistant, more lasting in their flexibility than classical spatial development planning.

Similar to a subculture permanently producing impulses of renewal for an official culture and changing it on a long-term basis, the city will not be able to neglect the day-to-day rituals. This other reading of the city is not oriented on static images. It is defined by the different needs of the varying groups of interest and activities. It is a fact that there will always be left-overs and gaps that are remnants. For a certain time they are predestined to evade the economically determined commercialization. A potential inherent to exploring and discovering the city as landscape is to make these qualities detectable and visible. Observing individuals critically produces case studies for the notation of changes that seem to be appropriated flexibly by the users or are even produced by them.

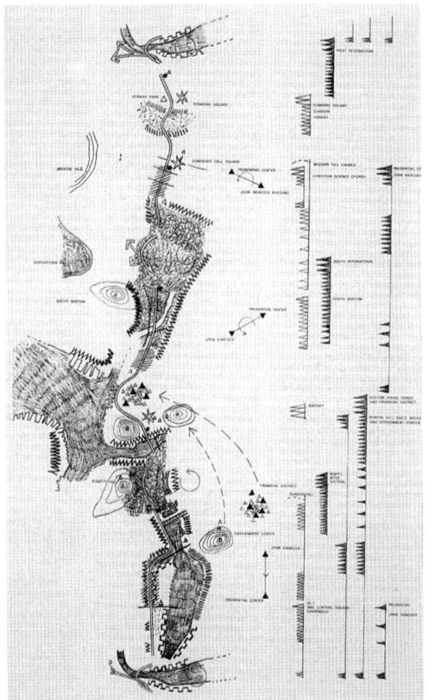

Kevin Lynch
Stadtautobahn Boston Bewegungnotation Umfeld
Arch + n°112, Aquisgrán, 1992

En los años sesenta, Kevin Lynch intenta, con una estrategia de "mapa cognitivo", expresar un nuevo paisaje que se compone de las realidades de la luz y el movimiento. En su libro* The View from the Road *desarrolla, en analogía con la investigación de la percepción, formas de notación individuales de lo urbano como instrumentos de planificación.

In the Sixties, using a strategy of the 'cognitive map' Kevin Lynch tries to describe a new landscape that is created by the realities of light and movement. In the book The View from the Road *in analogy with perceptive science he develops individual forms of noting urbanity as instrument for planning.*

El espacio público cambia constantemente, fluye. En una supresión de los lugares fijos, el espacio que fluye como paradigma de la planificación de un paisaje urbano es sustituido por el movimiento fluente. El individuo actor ha superado (necesariamente) el espacio libre definido de manera fija. Los movimientos migratorios de los distintos grupos de intereses definen exigencias divergentes de espacio libre: las personas sin trabajo se diferencian de los hombres de negocios, los estudiantes de las amas de casa, los mecánicos de las personas sin hogar, los intelectuales de los jugadores de cartas. Todos juntos forman un concepto cambiante, orientado a la acción y a la interacción de lo público en el paisaje urbano. Podría corresponder a los aspectos paisajísticos una función medianera entre lo libre y lo adquirido, entre lo aparentemente indeterminado y lo determinado, entre subjetivo y objetivo. Porque en el estudio del modelo estético de la ciudad como paisaje, pueden constatarse hoy analogías muy interesantes para la conceptualización del actual debate sobre la planificación:

– El vacío ya no es nada, sino que se erige en objetivo de planificación como superficie disponible para exigencias de acción diferentes, imprevisibles.

– La posibilidad de efectuar lecturas múltiples y la no determinación han desligado la funcionalidad como paradigma de planificación en el espacio público.

– Superficies yermas, espacios vacíos y rincones se valoran, en una sociedad técnica y económicamente optimizada, como importantes espacios de renovación cultural de lo público urbano.

– La sensación corporal, el cuerpo humano en su relación con el espacio se tematiza más como una dimensión de la planificación ciudadana.

– En lo paisajístico, se formula la esperanza de ***"garantizar espacios relativamente libres frente a las coerciones de la cultura y la sociedad actuales; espacios libres, que no tienen que exonerar de, sino ayudar a desarrollar puntos de vista y formas de comportamiento autónomos, a partir de los cuales se originen intervenciones activas en la sociedad y en la cultura."*** [13]

Formalhaut,* Rendez-vous, *1986
Formalhaut, *Frankfurt*

A finales de los años ochenta, el grupo Formalhaut de Frankfurt experimenta con la artificialidad y la naturalidad en distintos proyectos. Tanto si se implanta en una cantera de grava clausurada, en un prado, en un pabellón deportivo en un lugar perdido o en un cinema, como elemento urbano en el paisaje fluvial de la Francia occidental, siempre se trata de la relación entre el individuo y el entorno como perceptor del paisaje.

At the end of the Eighties the group Formalhaut from Frankfurt conducts experiments in various projects concerning the artificial and the natural. Be it a disused gravel pit, a meadow, be it in a unallocated gymnasium or in the cinema that is planted as urban element into a river landscape of Western France, the reoccurring topic is the relationship between the individual and the environment defined as perceived landscape.

Formalhaut,* Kuhproject, *1986
Formalhaut, Architektur Skulptur, *Darmstadt, 1986*

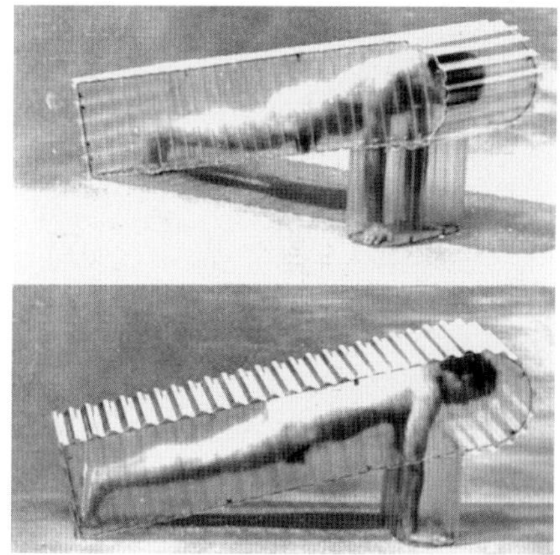

Formalhaut,* Sporthalle, *1986
Formalhaut, Architektur Skulptur, *Darmstadt, 1986*

Until planers have understood what is happening
– the club has moved because the music has changed;
– the drug addicts have left their public space under the bridge, because the police has driven them away;
– the students go to a different coffee shop for their coffee;
– the homeless prefers this air-duct above the underground station, because it's warmer there in winter;
– even the old-established Catalan bourgeoisie has changed their favorite restaurant;
– Yuppies and DINKS move to different suburbs to demonstrate their form of publicity in new hip bars;
– the free climbers have found a new climbing space after climbing under the highway bridge has been prohibited;
– meeting spaces have moved as have the wanderers, the climbers, the saunterers, the mountaineers, and the nomads
– in search of the subjective changes of space in the perpetual to and fro of the urban waves.

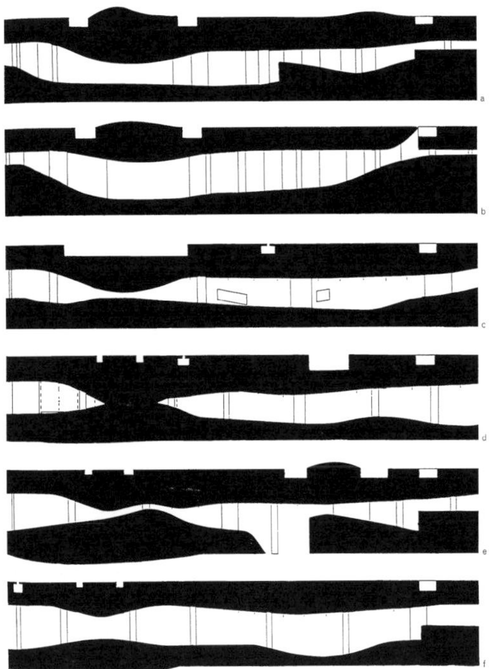

Rem Koolhaas, Palacio de Congresos *Congress Hall*, ***Agadir, 1990***
Koolhaas, Rem,* SLMXL, *Rotterdam, 1995

Puede recorrerse la ciudad como paisaje para experimentar la ciudad de debajo, como esboza* Michel de Certeau *en su libro* L'invention du quotidien. Arts de faire. *Marca la imagen de la ciudad geométrica y geográfica como compañera de la ciudad metafórica y paseadora. En su tratado sobre* Caminar por la ciudad, *postula un concepto de ciudad de actividades y sitúa el conocimiento óptico al lado de un conocimiento activo. El sujeto ciudad se contrapone al sujeto usuario vagando, paseando, en las prácticas realizadas en el espacio el caminante experimenta la ciudad como paisaje topográfico. Pueden elaborarse analogías con un gran número de estrategias de proyecto actual, que con el tema la ciudad como acontecimiento intentan ligar espacio y acción.

The city as landscape can be adopted to experience the city of the 'below' as described by Michel Certeau in his book L'invention du quotidien. Arts de faire. *He marks the image of the geometrical and geographical city as a counterpart to the metaphorical and moving city. In the piece* Walking in the City *he assumes the concept of the city of activities and to visual knowledge he adds active knowledge. The subject city is confronted by the subject user. While wandering, while walking, by practicing in space the pedestrian experiences the city as topographical landscape. Analogies to many contemporary design strategies can be produced that try to link space to action under the topic of the city as event.*

*Esta exigencia puede transmitirse directamente a las nuevas estrategias de planificación del espacio libre.
Las consideraciones económicas del actual sistema de valores no han otorgado a estos aspectos ningún predominio sobre los desarrollos ciudadanos, y por otra parte no están en situación de generar ciudad. Más bien aprovechan la reconstrucción, la recuperación de restos, de huecos y rincones. Aquí se producen procesos que permiten vincular la dimensión de la época con su desarrollo.
Se anidan en lo existente más que crear basándose en lo nuevo. Y así, posiblemente, al final son más resistentes como estructura, más duraderos en su flexibilidad, que la planificación clásica del espacio.
Exactamente como si de una subcultura surgiesen continuamente impulsos de renovación de una cultura oficial que la cambiasen a largo plazo, la ciudad no puede desprenderse de los efectos del ritual de lo cotidiano. Esta otra posibilidad de lectura de la ciudad no se orienta a imágenes fijas, sino que se define a partir de las exigencias de los distintos grupos de intereses y actividades.
Y es así aunque sólo sea por el hecho de que se dan siempre restos y huecos que sobran y que por un instante escapan a la presión de la valoración económica. En el reconocimiento y el descubrimiento de la ciudad como paisaje hay un potencial para hacer estas cualidades legibles y perceptibles. En su orientación hacia el individuo se abre un modelo para la notación de cambios continuados, a los que el usuario se adapta aparentemente de forma flexible, o que provoca él mismo. Antes de que los planificadores hayan entendido qué ocurre:*

– el club ya se ha vuelto a trasladar, porque la música es otra;

– los drogadictos ya han vuelto a marcharse de su espacio público bajo el puente, porque la policía les ha echado;

– los estudiantes van a otro bar a tomar café;

– las personas sin hogar prefieren este pozo de ventilación sobre la estación de metro, porque en invierno hace más calor aquí;

– tal vez incluso la vieja burguesía catalana ha cambiado de restaurant habitual;

– los yuppies *y los* DINKS *van a otras localidades de la periferia para mostrar su forma de lo público en los nuevos locales escénicos;*

– los escaladores libres ya han buscado otro lugar, después de quedar prohibida la escalada bajo el puente del autopista;

– los puntos de encuentro ya son otros y los caminantes, escaladores, vagantes, excursionistas y nómadas han vuelto a marcharse en buscar de los cambios subjetivos del espacio, en un continuo subir y bajar de la ola urbana.

***Adriaan Geuze/West 8 Landscape Architects
Collage, Rotterdam, 1996***

1 *Endell, August,* Die Schönheit der großen Stadt,
von Strecker und Schröder, Stuttgart,, 1908, p.33
2 *Ibidem, p.34*
3 *Ibidem, p.47*
4 *Kracauer, Siegfried,* Aus dem Fenster gesehen *(1931), in:*
Kracauer, S., Straßen in Berlin und anderswo, *Suhrkamp,*
Frankfurt, 1964, p.40
5 *He was professor for Environmental Design*
at the Gesamthochschule Kassel after he worked in architecture
and design at the Hochschule für Gestaltung in Ulm and
at the ETH Zurich. He graduated in philology and studied with Edgar
Salin and Karl Jaspers in Basel.
6 *compare to Simmel, Georg,* Philosophie und Landschaft *(1913), in:*
Brücke und Tor, *Köhler, Stuttgart 1957; Ritter, Joachim,*
Subjektivität, *Suhrkamp, Frankfurt, 1974; Hans Paul Bahrdt:*
Umwelterfahrung, Nymphenburger, Munic, 1974; Böhme, Gernot,
Für eine ökologische Naturästhetik, *Suhrkamp, Frankfurt, 1989;*
Böhme, Hartmut, Natur und Subjekt, *Suhrkamp, Frankfurt, 1988;*
Seel, Martin, Eine Ästhetik der Natur, *Suhrkamp, Frankfurt, 1991.*
7 Historische Wörterbuch der Philosopie, *Basel 1980, p. 11.*
8 Wörterbuch der deutschen Gegenwartssprache, *Berlin, 1969.*
9 Historisches Wörterbuch der Philosophie, *Basel, 1980; p.11*
10 *Burkhardt, Lucius,* Landschaftsentwicklung und
Gesellschaftsstruktur; *in: F. Achleitner:* Die wahre Landschaft,
Salzburg, 1978
11 *Gröning, Gert/Herlyn, Ulfert:* Landschaftswahrnehmung
und Landschaftserfahrung. *Minerva,, Munic, 1990*
12 *Benjamin, Walter,* Die Wiederkehr des Flaneurs.
On Hessel Franz, Spazieren in Berlin*; from Benjamin, W.,*
Angelus Novus, *Frankfurt 1978*
13 *Bahrdt, Hans Paul,* Umwelterfahrung Nymphenburger,
Munic, 1974, p. 167

1 *ENDELL, August,* Die Schönheit der großen Stadt, *Stuttgart: von Strecker und Schröder, 1908, pág. 33*
2 Ibídem, *pág. 34.*
3 Ibídem, *pág. 47.*
4 *KRACAUER, Siegfried,* Aus dem Fenster gesehen *(1931), en: KRACAUER, v,* Straßen in Berlin und anderswo, *Frankfurt a.M.: Suhrkamp, 1964, pág.40*
5 *Hasta 1988 fue Profesor de Configuración del Entorno en la Escuela Superior de Kassel, después de haber trabajado previamente en Arquitectura y Diseño en la Escuela Superior de Diseño de Ulm y en la EH de Zürich.*
Es filólogo titulado y estudió con Edgar Salin y Karl Jaspers en Basilea.
6 *Véase SIMMEL, Georg,* Philosphie der Landschaft *(1913), en:* Brücke und Tor, *Köhler, Stuttgart, 1957; RITTER, Joachim,* Subjektivität *(Subjetividad), Suhrkamp, Frankfurt, 1974; BAHRDT, Hans Paul,* Umwelterfahrung, *Nymphenburger, Munich, 1974; BÖHME, Gernot,* Für eine ökologische Naturästhetik, *Suhrkamp, Frankfurt, 1989; BÖHME, Harmut,* Natur und Subjekt, *Frankfurt: Suhrkamp, 1988; SEEL, Martin,* Eine Ästhetik der Natur, *Suhrkamp, Frankfurt, 1991.*
7 Historisches Wörterbuch der Philosophie, *Basilea, 1980; pág. 11*
8 Wörterbuch der dt. Gegenwartssprache, *Berlín 1969.*
9 Historisches Wörterbuch der Philosophie, *Basilea, 1980, pág. 11.*
10 *BURKHARDT, Lucius,* Landschaftsentwicklung und Gesellschaftsstruktur*; en: F. Achleitner:* Die Ware Landschaft, *Salzburgo, 1978*
11 *GRÖNING, Gert/HERLYN, Ulfert,* Landschaftswahrnehmung und Landschaftserfahrung, *Minerva, Munich, 1990*
12 *BENJAMIN, Walter,* Die Wiederkehr des Flaneurs, *en la obra de HESSEL, Franz,* Spazieren in Berlin*; de BENJAMIN, W.:* Angelus Novus, *Frankfurt 1978*
13 *BAHRDT, Hans Paul,* Umwelterfahrung, *Nymphenburger, Munich, 1974, pág. 167*

Epic landscapes

FLORIAN BEIGEL AND PHILIP CHRISTOU

Architecture can lead us into the world of fairy tales, it can sell, it can seduce, it can dominate. It can also lead to insights. It can make you think. Then architecture becomes essential. We then talk about a liberating, enabling and enlightening power of architecture. These powers can operate at many scales of architecture. This essential quality can make one contemplate the human condition, or enable one to do very practical things that one didn't think that one could do such as building a building for oneself, or it can lead to a general heightening of a presence and agility of mind that keeps one on one's toes and that quickens one's step.

The architect Walter Segal when taking you on his travels to building sites through history, said:

"...should the observer wish to explore further, he/she will succeed in unravelling behind the shapes and quite separate from the evidence to please the eye, the essential meaning of the shapes and arrangements which transcend utility and the enjoyment of the senses. This is perceived by the mind and not by the eye and the mind is wont to transfer it into a wider context for testing." [1]

The mind provides a wider context for testing architecture. Openness, breadth of vision, awareness are brought to bear on the experience of architecture. Paul Klee is speaking about seeing with a thinking eye.

Bruno Taut, the Berlin architect of the 1920's, fled to Japan in the early 1930's when the Nazis came to power. The architectural culture in Germany at that time was reduced to neoclassical for public buildings, high-tech for industrial buildings and woolly hats for houses.

Taut wrote about the 17th Century Palace of Katsura, ***"There is nothing to see without thinking and it was the art of its master to turn the eye into the transformer of thoughts, when in quiet observation the eye could be said to think."*** [2]

Bertolt Brecht's theories of epic theatre are relevant here. He was looking for an undramatic theatre for the sage (the wise person).

Epic *in Brecht's use of the term is, according to Willet,* ***"a sequence of incidents or events, narrated without artificial restrictions as to time, place or, relevance to a formal plot."*** [3]

In such a theoretical framework the magic spell of empathy is being questioned: the whipping up of the emotions and the sweeping away of critical faculties to the extent of losing oneself, is to be avoided. A sense of awe is to be avoided. The theatre must be unsensational and undramatic generating a state of relaxation and a heightened presence of mind. A critical distance must be permitted, a position at the edge, with perspective. The actor should encourage "that boxing ring scenario of smoking and observing". [4]

Brecht's epic actors and theatre appeal less to feelings than to reasons. Instead of sharing an experience one is given the opportunity to come to grips with things. There is distance and perspective. Conditions are made visible, not things.

Brecht's idea of epic theatre could be read as a description of a thoughtful and essential architecture. Essential architecture concerns itself with the dialectical relationship between the everyday and the special event. Julius Posener when he compares the houses of Le Corbusier with those of JJP Oud raises the question, ***"We will have to ask ourselves which tendency is more important to us for the building of houses: the one that leads people beyond the everyday into an event, or the one in which everyday is so apparent that unexpectedly it turns into the event."*** [5]

Paisajes épicos

FLORIAN BELGEL Y PHILIP CHRISTOU

La arquitectura puede conducirnos a un mundo de cuentos de hadas. Puede vender, seducir, dominar. También puede generar descubrimientos. Puede hacernos pensar. Cuando eso ocurre, la arquitectura se vuelve esencial y hablamos de su poder liberador, capacitador e ilustrador. Este poder puede operar a distintas escalas, en distintos ámbitos. Esta cualidad esencial nos permite contemplar la condición humana, o hacer cosas completamente prácticas que nunca imaginarnos que podíamos llegar a hacer, como un edificio, o puede intensificar una presencia o una agilidad mental que nos mantiene alerta y nos mueve a acelerar el paso.

El arquitecto Walter Segal, cuando describe su recorrido por determinados edificios históricos, afirma: ***"... Si el observador desea seguir explorando, logrará desentrañar, detrás de las formas y muy lejos de la evidencia en que se complace la vista, el significado esencial de las formas y las disposiciones que trascienden la utilidad y el disfrute de los sentidos. Esto no se percibe con los ojos, sino con la mente. La mente está habituada a transferir sus percepciones a un contexto más amplio, para analizarlas."*** [1]

La mente ofrece un contexto más amplio para analizar la arquitectura. La sinceridad, la amplitud de visión y la conciencia son llamados a participar en la experiencia de la arquitectura. Paul Klee habla de mirar con un ojo pensante.

Bruno Taut, arquitecto berlinés de los años veinte, huyó a Japón a principios de la década de los treinta, cuando los nazis accedieron al poder. En aquel período, la cultura arquitectónica alemana se vio reducida al neoclasicismo en los edificios públicos, el high-tech *en los edificios industriales y los* woolly hats *en las casas. Taut escribió sobre el palacio de Katsura del siglo XVII:* ***"No se puede ver sin pensar, y el arte de su autor consistió en lograr que los ojos transformaran el pensamiento, del mismo modo que, en la observación silenciosa, podemos decir que el ojo piensa."*** [2]

En este contexto, podríamos recurrir a las teorías de Bertolt Brecht sobre el teatro épico. *Brecht buscaba un teatro no dramático, dirigido al hombre sabio. Según Willet, para Brecht,* épico *significa:* ***"una secuencia de incidentes o acontecimientos, narrados sin restricciones artificiales de tiempo, lugar o adecuación a un argumento formal."*** [3]

En este marco teórico, el encantamiento mágico de la empatía se ve cuestionado: hay que evitar el estímulo de las emociones y el olvido de las facultades críticas hasta perderse uno mismo. Debe evitarse el recurso al temor reverencial. El teatro no debe ser efectista ni dramático, y debe generar un estado de relajación y una fuerte presencia de la mente. Hay que permitir cierto distanciamiento crítico, una posición al margen, con perspectiva. El actor debe promover un ambiente parecido "al escenario de un ring de boxeo, lleno de gente que fuma y observa". [4]

Los actores y el teatro épico de Brecht no apelan tanto a los sentimientos como a la razón. En lugar de compartir una experiencia, nos ofrece la oportunidad de abordar determinadas cuestiones. Hay distancia y perspectiva. Son las condiciones lo que se pone de manifiesto, no las cosas.

La idea brechtiana del teatro épico *podría interpretarse como la descripción de una arquitectura reflexiva y esencial. Una arquitectura esencial se preocupa por la relación dialéctica entre los acontecimientos cotidianos y los acontecimientos especiales. Julius Posener plantea la cuestión cuando compara las casas de Le Corbusier con las de JJP Oud:* ***"Tendremos que preguntarnos qué tendencia nos parece más importante para la construcción de viviendas: la que conduce a la gente hacia un acontecimiento situado más allá de lo cotidiano o aquella en que lo cotidiano tiene tal presencia que se convierte inesperadamente en un acontecimiento."*** [5]

Camden, Londres, foto F. Beigel

Emptiness

A large landscape, with a big horizon and a strong horizontality can bring about an epic perspective, a critical distance and the relaxation that Brecht spoke of. Such a landscape has large dimensions horizontally and small dimensions vertically, and a lot of openness.
It could be called an epic landscape. A large architectural landscape with rolling fields and a big sky comes to mind. I think also of the enigmatic landscapes of disused open cast coal mining in a topography flattened by seas and glaciers in geological time, and subsequently dotted with the second nature of the just-past excavation valleys and mounds of spoil. The land at the edge of the sea always sharpens my mind and quickens my step in expectation. It is usually very open and abstract. Or a prairie landscape, **"that vast something, stretching out on its own unbounded scale, unconfined, which there is in these prairies, combining the real and the ideal"**.[6]
However, this is not a description of the high mountains. They give me claustrophobia in the valleys, particularly on a rainy day, and vertigo when I am on the mountain tops. They tend to be over dramatic landscapes. Rather than the sensationalism of the mountains, it is a sense of emptiness I am looking for. It is the artificial and the natural combined in a landscape that is of interest. When we use the term artificiality we are not describing the artificial in opposition to the natural. We are referring to the dissolution of the boundary between artifice and nature through man-made continuation of biological evolution. Georg Gerster's aerial photographs of American farmlands reveal the complex layering of geology, ecology and human labour. The overlapping, interlacing calligraphy of nature and culture, chance and artifice, land form and the applied geometries of agriculture. The colours and textures of soils and crops, the contours and shapes of cultivation and irrigation, the patterns created by planting and harvesting, are changing and flowing with the seasons and weather, time of the day, and stages of growth.
The epic landscape can make you aware of your potential as a human being, your feelings, your ideas, of your humanity and of the human condition. This sense of distance and extended spaciousness in the landscape can open your heart. It can give you an idea of generosity and community. It can give you insight. It can bring relativity to a state of mind. It can give you a cool distance. It can give you a sense of time, slow, large time. The attention span gets longer than the normal 3 seconds. I like the connectivity and the flow, the change, the temporality of landscape. It has the power to connect you to your own body and to other people. There is something large and wonderful in the idea of landscape - it can be liberating.

Built landscapes

The idea of landscape has still a strong fascination for architecture - built landscapes, at all scales, at the scale of the city as well as at the scale of the room, interior landscapes. Architectural landscapes also have the potential to convey relativity and therefore measure, an understanding of oneself in relation to the outside world. Architectural landscapes are perceived in a larger context, thereby facilitating a kind of testing by the user. Therein lies the meaning of landscape in architecture.
The English word landscape was introduced as a technical term of painters in the 17th Century meaning a picture representing natural inland scenery. We prefer the term landt-shape, and also the Dutch term landschap meaning a shelf. The terms land form describing a natural feature of the earth's surface and land mass describing a large area of land are helpful to characterize morphological and tectonic land conditions. Tectonic landscape means for us the space of the land. Tectonic landscape is an abstraction of landscape, one could say the essential of landscape. **"Abstraction is a representation of nature devoid of "realism" based on mental or conceptual reduction. There is no escaping nature through abstract representation; abstraction brings one closer to physical structures within nature itself."**[7]
It is in an abstracted sense that we feel we can enjoy the idea of an architectural landscape, or a built landscape at the scale of an interior and the scale of a town.

Balsas en el río Po, Italia
Rafts in the River Po, Italy, photo F. Beigel

Criaderos piscícolas flotantes
Floating fish farms, photo Georg Gerster

Vacío

Un inmenso paisaje, con un vasto horizonte y una fuerte horizontalidad, puede ofrecer la perspectiva épica, la distancia crítica y la relajación a que aludía Brecht. Esa clase de paisaje tiene una horizontalidad de grandes dimensiones, una verticalidad de pequeñas dimensiones y un espacio característicamente abierto. Podría definirse como un paisaje épico. *La idea nos sugiere un gran paisaje agrícola, con campos ondulantes bajo la inmensidad del cielo. También pienso en los enigmáticos paisajes de minas de carbón en desuso, en una topografía alisada por océanos y glaciares de la era geológica, y subsiguientemente dotada de la segunda naturaleza de las excavaciones pasadas o recientes: valles y montículos de residuos. La tierra que se extiende a la orilla del mar siempre agudiza mi mente y me lleva a acelerar el paso, expectante. Suele ser un paisaje abierto y abstracto. O un paisaje de praderas,* ***"un espacio vasto, que se extiende más allá de su propia escala ilimitada, infinita, presente en esas praderas donde se combinan lo real y lo ideal."*** [6]

En cambio, esta descripción no podría corresponder a un paisaje de alta montaña. Las montañas me producen claustrofobia cuando estoy en un valle, sobre todo en días lluviosos, y siento vértigo cuando subo a las cumbres. Los paisajes de alta montaña son espectáculos dramáticos. Más que el efectismo sensacionalista de las montañas, busco la sensación de vacío.

Me interesa la combinación de lo natural y lo artificial en el paisaje. Cuando decimos artificialidad, no pretendemos describir lo artificial en oposición a lo natural. Nos referimos a la disolución de límites que se ha producido entre artificialidad y naturaleza a raíz de la intervención humana en la continuidad de la evolución biológica. Las fotografías aéreas de Georg Gerster de las tierras de cultivo americanas revelan la compleja estratificación de la geología, la ecología y el trabajo del hombre. Esa caligrafía superpuesta y entretejida de naturaleza y cultura, azar y artificio, morfología natural del paisaje y la geometría aplicada de la agricultura. El color y la textura del suelo y las cosechas, los contornos y relieves de la irrigación y el cultivo, los dibujos trazados por la plantación y la recogida cambian y fluyen con el clima y las estaciones, las horas del día y las fases de crecimiento.

El paisaje épico nos conciencia de nuestro potencial como seres humanos, de nuestros sentimientos, nuestras ideas, nuestra humanidad y la condición humana en general. El sentido de la distancia y la amplia expansión del paisaje nos ensanchan el corazón. Nos comunican una idea de generosidad y comunidad. Nos ayudan a entender cosas, a relativizar cualquier estado de ánimo. Nos permiten distanciarnos con frialdad, nos comunican una sensación de tiempo, un tiempo lento y prolongado. El lapso de atención sobrepasa los tres segundos habituales. Me gusta la conexión y el flujo, el cambio, la temporalidad del paisaje. Tiene la capacidad de conectarnos con nuestro propio cuerpo y con otras personas. Hay algo grande y maravilloso en la idea del paisaje. Puede ser liberador.

Paisajes construidos

La idea de paisaje todavía ejerce una intensa fascinación en la arquitectura. Paisajes construidos, a cualquier escala, a escala de la ciudad, a escala de la habitación, paisajes interiores. Los paisajes arquitectónicos también tienen el potencial de comunicar relativismo y por tanto, mesura, conocimiento de uno mismo en relación al mundo exterior. Los paisajes arquitectónicos se perciben en un contexto más amplio, facilitando una especie de análisis en el usuario. Ese es el sentido del paisaje en arquitectura.

La palabra inglesa para definir paisaje, landscape, *se introdujo en el siglo XVII como término pictórico técnico, aludiendo a una pintura que representara un escenario natural. Nosotros preferimos el término* land-shape *(forma o relieve de la tierra) y la palabra holandesa* landschap, *que significa* plataforma o repisa para mirar la tierra. *Los términos* land form *(accidente geográfico), que describe un rasgo natural de la superficie terrestre, y* land mass, *que describe una gran área de tierra, resultan útiles para caracterizar las condiciones morfológicas y tectónicas del suelo. Para nosotros, paisaje tectónico significa el espacio de la tierra. El paisaje tectónico es una abstracción del paisaje. Podría decirse que es la esencia del paisaje.* ***"La abstracción es una representación de la naturaleza desprovista de realismo y basada en una reducción mental o conceptual. En la representación abstracta no hay huida de la naturaleza; la abstracción nos acerca a las estructuras físicas inherentes a la propia naturaleza."*** [7] *Sólo en un sentido abstracto podemos disfrutar de la idea de un paisaje arquitectónico o un paisaje construido a la escala de un interior o de una ciudad.*

Citylandscapes

In contemporary life the differentiation between city and landscape becomes exceedingly meaningless. There is no longer a landscape, and no longer a city. Today in our accelerated age there is a new urbanity that encompasses both landscape and city systems. In this respect, parts of traditional European city centres are sometimes read as a landscape.

Hans Scharoun spoke about the Baroque city of Prague in a lecture for the opening of the exhibition Berlin is Planning *in 1946,*

"We have an example in Europe of an urban landscape (city landscape): Prague. This urban landscape was generated by particularly favourable topographical conditions and it was given its image by the sensitive building artists of the baroque. Prague is the formally accomplished assimilation of natural conditions into the means of building in its building objects, as convincingly represented in the dense parts of the city as in the open ones. The interplay of intensification and relaxation in the densely built parts of the city is particularly well demonstrated in the configuration of the towers which in their varying designs are in the end given a strong expression of lifting themselves above the roofscape, seemingly dissolving their forms and distinguishing their upwards movement and dissolution.

In their widening and narrowing, the streets as rhythmically ordered gorges recall and exaggerate the play of surrounding hills and valleys. The streets concentrate this play so it cannot only be experienced artistically, but it also becomes accessible to the human imagination. The naturalness in the design of the open green spaces contrasts with the severely layered mass of the castle. Architectural and formal motifs play against the rolling surface of the landscape. Spaces forming groups of trees become open garden halls; slopes, terraces, open staircases are used in combination to give scale to each other... And this play, the harmony of natural and artificially created conditions continues into the generous interiors of churches which seem pagan in effect while the palaces often have a sacred pretence. Nobody witnessing this exceptional case of an original **Stadtlandschaft** ***inspired by an artistic impulse could fail to be moved to reflection."*** [8]

One could be tempted to say Scharoun's main conception of space and principle of composition in every project is Stadtlandschaft, *be it large or small, he makes a topography visible, builds a topography, or a geological formation, and lays out architectural cultivations in it. In the Hauptstadt competition report (1958), Scharoun refers to the Tiergarten almost as an urban interior:*

"Berlin has the unique advantage of possessing a kind of interior great open green space. Along the edge of this 'hollow sculpture' could be placed ordered complexes - experienced either as dominating continuous features or as individual dominant elements." [9]

The topographical forms for the commercial centre to the south of the Tiergarten in the Berlin Hauptstadt *competition design (1958) could be readily compared with the 'vineyards' of the Philharmonic Hall. The main difference being one of scale. The Philharmonic Hall becomes an interior vineyard and the Tiergarten an urban interior. In this context I find it interesting that Scharoun associates intimacy with the idea of landscape. In Scharoun's work the ambiguity between interior and exterior and vice versa is at work at all scales from the urban scale in the Berlin Hauptstadt competition to the scale of a flat, i.e. within the Romeo apartment building in Stuttgart.*

We will soon find ourselves terribly depressed upon seeing the Potsdam Platz development in Berlin nearing completion. Then we will witness the open conception of the citylandscape of the Forum being destroyed by a regressive, dogmatic and impossible attempt to reconstruct the 19th Century Berlin block with late 20th Century corporate land speculation, resulting in an urban form which is bursting out of its picturesque seams. Scharoun's citylandscapes are a strong postwar strategy and in some ways a specifically German phenomenon. We have researched in recent years contemporary citylandscape situations in London, Nara (Japan), Yokohama (Japan), and in the Leipzig Region (Germany) through competition projects and in some cases as part of students' architectural design thesis work at the University of North London.

Paisajes urbanos

En la vida contemporánea, la diferenciación entre ciudad y paisaje pierde progresivamente su sentido. Ya no existe paisaje, ni tampoco ciudad. En nuestra acelerada época, hay un nuevo urbanismo que engloba tanto el sistema del paisaje como el de la ciudad. En este aspecto, hay ciertos sectores de los centros históricos de las ciudades europeas que se interpretan como paisajes.

En la conferencia inaugural de la exposición Berlín Planifica, *en 1946, Hans Scharoun alude a la ciudad barroca de Praga:* ***"En Europa tenemos un ejemplo de paisaje urbano: Praga. Ese paisaje urbano se generó gracias a unas condiciones topográficas especialmente favorables y obtuvo su imagen gracias a la sensibilidad de los arquitectos del barroco."*** *Praga representa el logro en la asimilación formal de las condiciones naturales en los medios y los objetos de construcción, representados de un modo convincente tanto en las zonas densas de la ciudad como en las más abiertas. La dialéctica intensificación-relajación en las zonas más densamente construidas de la ciudad se demuestra claramente en la configuración de las torres, que, en su diversidad de diseños, producen la impresión de elevarse sobre los tejados, disolviendo aparentemente sus formas, destacando los movimientos de elevación y disolución. La forma en que las calles se amplían y estrechan como desfiladeros rítmicamente ordenados evoca, exagerándolo, el relieve de las colinas y los valles que rodean la ciudad. Las calles concentran este juego de tal forma que no sólo pueda percibirse artísticamente, sino que también sea accesible a la imaginación humana. La naturalidad del trazado de los grandes espacios verdes contrasta con el volumen fuertemente estratificado del castillo. Los motivos arquitectónicos y formales juegan contra la superficie ondulada del paisaje. Las arboledas se convierten en umbrales abiertos y ajardinados; las pendientes, terrazas y escalinatas se combinan para darse mutuamente referencias de escala... Y este juego, la armonía de las condiciones naturales y artificiales, continúa en los generosos interiores de las iglesias, que parecen efectivamente paganas, mientras los palacios a menudo muestran una vocación sagrada. Nadie que presencie este caso excepcional de* Stadtlandschaft *(ciudad-campo) original, inspirado por un impulso artístico, podría evitar la consiguiente reflexión."* [8] *Podría decirse que la principal concepción del espacio y los principios compositivos de todos los proyectos de Scharoun, grandes o pequeños, se resume en el concepto* Stadtlandschaft. *Scharoun revela una topografía, construye una topografía o una formación geológica, y siembra en ella cultivos arquitectónicos. En la memoria del concurso para el centro de Berlín (*Hauptstadt*; 1958), Scharoun se refiere al Tiergarten casi como si fuera un espacio interior urbano:* ***"Berlín tiene la ventaja única de poseer un inmenso espacio verde abierto e interior. A lo largo del perímetro de esta "escultura hueca", podrían situarse complejos ordenados, que pudieran experimentarse como rasgos dominantes continuos o como elementos individualmente dominantes."*** [9]

Las formas topográficas del centro comercial situado al sur del Tiergarten, presentado al concurso de urbanismo del centro de Berlín (1958), podrían compararse con las "viñas" de la Filarmónica, a una escala diferente. La sede de la Filarmónica se convierte en una viña interior y el Tiergarten en un interior urbano. En este contexto, es interesante la asociación que hace Scharoun entre intimidad e idea de paisaje. En su obra, la ambigüedad entre interior y exterior (o viceversa) funciona a todas las escalas, desde la escala urbana del concurso del Haupstadt *berlinés a la escala de un apartamento, como los del edificio Romeo de Stuttgart. Muy pronto, cuando veamos acabada la reurbanización de la Potsdam Platz de Berlín, experimentaremos una intensa depresión. Seremos testigos de la destrucción*

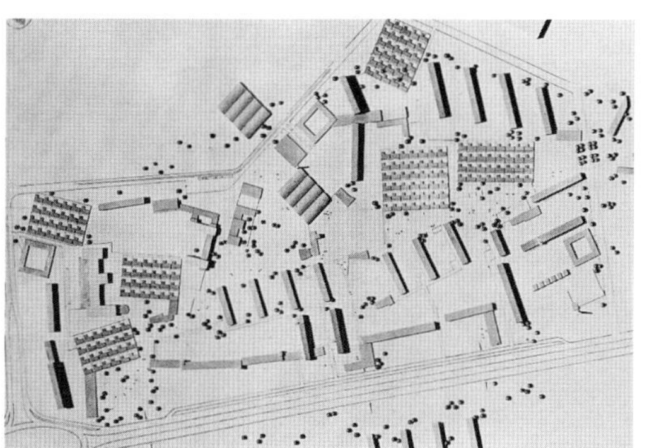

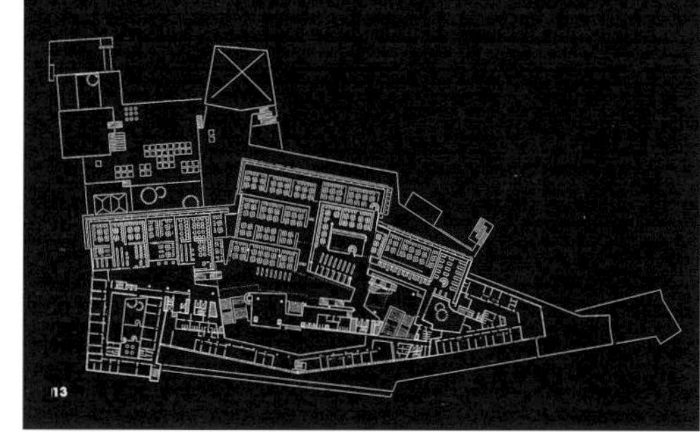

Hans Scharoun
Maqueta exposición. Berlín Planifica, 1949.
Model from the exhibition. Berlin is Planning, 1949.

Hans Scharoun
Biblioteca Nacional de Berlín, 1967, planta
Berlin National Library,1967, ground floor plan.

'strawberry fields' project, 1995,[10] *was one such citylandscape experiment on the site of a large disused railway shunting yard at Stratford in the Lea Valley, East London. The project is generated by the expectation that a new TGV European Station will be built on this site within the next ten or twelve years. The experiment has three parts:*

1. a meticulous materialistic record/survey of the existing terrain, a wilderness of disused tracks, ground slabs of the former railway sheds, railway land in ecological succession, canal edges, etc. This was studied in relation to the proposed excavation necessary for the TGV train. Between the train tunnel twelve metres below ground level and the city above, one can imagine that the station cutting will become a large window opening this subterranean world of the train to the city.

2. With the spoil of the tunnel excavation a new horticultural topography is being proposed to enhance the presence of the existing topography of the shunting yard. A short-term use scenario includes sloping strawberry fields, a city camping site and an accommodation village for the construction workers of the new train station.

3. This short-term open space was conceived to form a seed or a catalyst for a long-term scenario in expectation of an intensified urban building development in the vicinity of the new station. The sloping fields made of excavation material and planted with strawberries, will have a strong enough presence and character to become the open grounds of the future centre of Stratford.

The 'nara mats' project, 1992,[11] *is an urban design strategy of urban stepping stones on a former railway goods yard, linking the city across an urban motorway and railway. The stepping stones are sloped open spaces, artificial hills or urban ramps in the city from which pedestrian walkways spring across these two busy arteries.*

The project for the regeneration of a disused coal mining and associated factory, 'Post-use of the Witzaitz Brikettfabrik', 1996/97,[12] *in the coal mining region south of Leipzig, Germany is part of an emerging post-industrial landscape of urban lakes and urban forests. This gradually evolving mining succession landscape will be formed during the next seven to fifty years.*

In the Leipzig Südraum (south region) project we reveal a very large view of this landscape in transition, we strengthen a topographical conversation between a shallow natural wetland valley and the industrial embankments and plateau of the former factory site, and we lay out a 'garden of mining' on the plateau. This is done with the materials of the 'second nature': fields of demolition fragments; power station coal ash; entombments of buried toxic materials, foundation footprints of former industrial buildings, orchards. We refer to this as an architectural landscape of activity fields. The mining garden accepts uncertainty of use and it is not designed for particular programmes. One could almost say it takes a delight in being somewhat use-less. This space is characterised by a specificity regarding the context and place where it is, and the materials it is made of. It is indeterminate with regard to a predetermined set of uses. It is designed to accept changes of uses over time and it forms a basis for tolerance towards

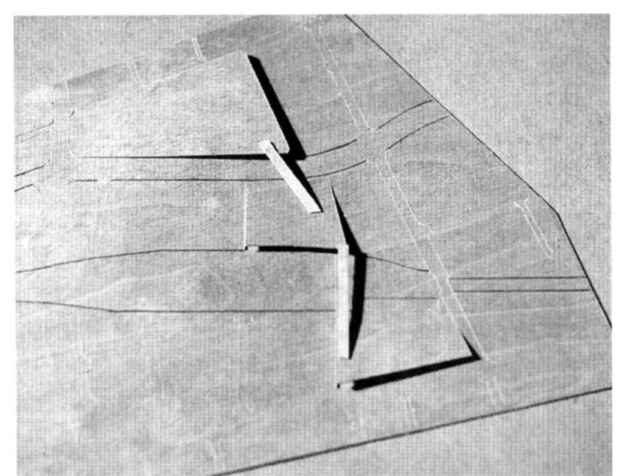

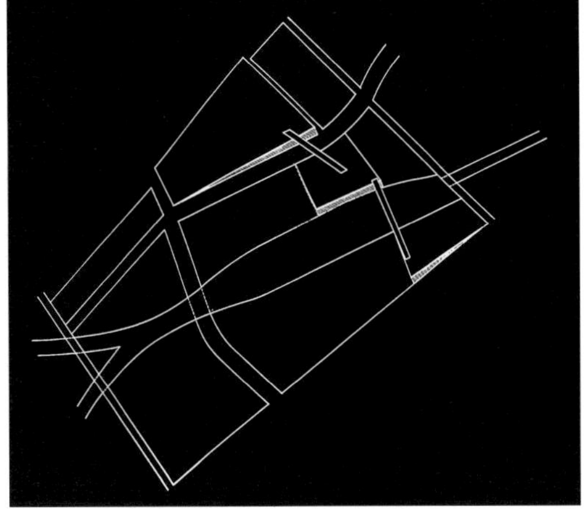

Dan Jones
Maqueta de análisis del terreno
Ground survey model

Florian Beigel, Nara Mats
Maqueta concepto,
3 pasarelas en la ciudad
Concept model, 3 stepping stones in the city

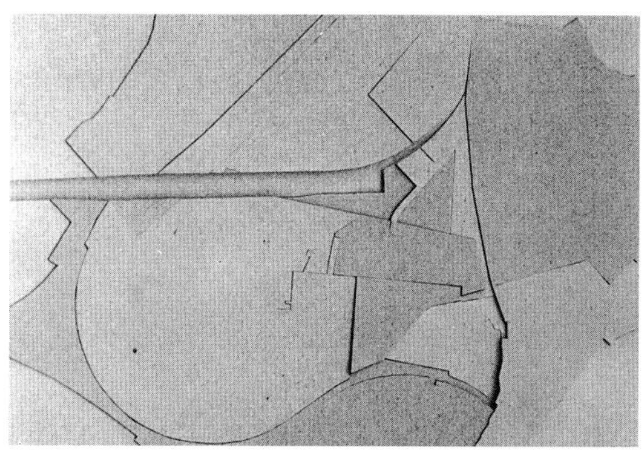

Nara Mats, croquis del concepto Concept sketch

de la concepción abierta del paisaje urbano del foro con un intento regresivo, dogmático e imposible, de reconstruir el estilo arquitectónico del Berlín del siglo XIX mediante la especulación inmobiliaria de finales del siglo XX. El resultado se perfila como una forma urbana a punto de estallar bajo sus pintorescas costuras.

Los paisajes urbanos de Scharoun constituyen una poderosa estrategia urbana de posguerra, y en algunos aspectos, también configuran un fenómeno específicamente germánico. En los últimos años, hemos investigado la situación del paisaje urbano contemporáneo en Londres, Nara y Yokohama (Japón) y la región alemana de Leizpzig, mediante el estudio de proyectos presentados a concursos o bien de algunas tesis de urbanismo de la University of North London.

El proyecto Strawberry Fields *(1995)*[10] *fue un experimento de paisaje urbano ubicado en una antigua estación ferroviaria de cambio de agujas de Stratford, en Lea Valley, al este de Londres. El proyecto responde a la expectativa de que en los próximos diez o doce años se construya allí una nueva estación europea del TGV. El experimento consta de tres partes: Un meticuloso estudio/registro de materiales del terreno existente, una jungla de vías en desuso, cimientos de las antiguas casetas de la estación, terrenos del ferrocarril en evolución ecológica, orillas del canal, etc. Este estudio se hizo en función de la excavación propuesta, necesaria para el TGV. Entre el túnel ferroviario, situado a doce metros bajo tierra, y la ciudad, era fácil imaginar la estación como un gran "ventanal" que abriría el mundo subterráneo del tren a la ciudad.*

Con los restos de la excavación del túnel, se propuso una nueva topografía hortícola para potenciar la presencia de la topografía existente en el antiguo terreno ferroviario. Un escenario de uso a corto plazo *incluía campos de fresas en pendiente, un camping y una urbanización de viviendas para acomodar a los trabajadores que construirían la nueva estación.*

Este espacio al aire libre creado para un uso a corto plazo se concibió para formar el germen o catalizador de un escenario a largo plazo, *con la expectativa de una tendencia urbanizadora intensiva en los alrededores de la nueva estación. Los campos en pendiente, construidos con material de excavación y sembrados de fresas, tendrían una fuerte presencia y carácter, y podrían convertirse perfectamente en los jardines del futuro centro de Stratford.*

El proyecto Nara Mats *(1992)*[11] *era una estrategia urbanística para construir una especie de pasarelas sobre una antigua estación de mercancías, conectando la ciudad a través de la autopista y la línea de ferrocarril. Estas pasarelas se configuran como espacios inclinados, colinas artificiales o rampas urbanas, de las cuales surgen las pasarelas de peatones que atraviesan esas dos transitadas arterias.*

El proyecto de regeneración de un paisaje de minas de carbón abandonadas y situadas junto a una fábrica, la Reutilización de la Witznitz Brikettfabrik (1996-1997)[12]*, en la región minera del sur de Leizpzig, forma parte de un paisaje postindustrial emergente de lagos y bosques urbanos. Esta evolución gradual del paisaje minero tendrá lugar entre los próximos siete y cincuenta años. En el proyecto de la Leizpzig Südraum, la región sur de Leizpzig, se muestra una inmensa vista de ese paisaje en transición, se potencia el diálogo topográfico entre un valle húmedo, con pantanos naturales de poca profundidad, los diques industriales y la explanada de la antigua fábrica, y se desarrolla un "jardín de minas" en la explanada. Esta propuesta, que definimos como paisaje arquitectónico de campos de actividad, se lleva a cabo con materiales de "segunda naturaleza": campos creados con cascotes y material de derribo, cenizas de carbón de la central eléctrica, depósitos de residuos tóxicos y material incinerado, restos de los cimientos de antiguos edificios industriales y huertos.*

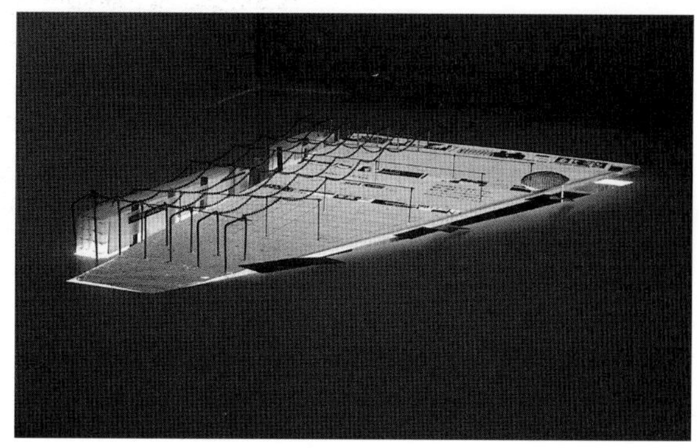

Nara Mats, maqueta del Palacio de Congresos como modelo de pasarela urbana
Nara Mats, model of convention hall as one urban stepping stone

Los sedimentos de cenizas de carbón permiten que prospere una delicada diversidad vegetal
Coal ash deposits support a varied and delicate plant life. Photo Philip Christou

unknown futures. The proposal tests the idea of a metamorphosis in time from carpets in the landscape, (as we like to call these fields), to building carpets, or tapestries of houses, trading buildings and reprogrammed industrial buildings. The fields could be seen as landscape infrastructures needed to attract interest in constructing new buildings in the future.

Doing almost nothing

These are all projects for new landscapes. They all originate from vague terrains of different kinds: cracks in the city, disused infrastructural territory, disused industrial land, satellites in transition, disused excavations in the landscape. More or less these situations have all a terrifying enigma, sometimes a wildness that demands respect and protection. It is both an artificial and a natural wilderness. These are all landscapes in transition, landscape clocks. The past is present, and there is a wonderful silent presence like a hole in the storm, as the future looms large.

What should the intervention be? To restore some kind of natural state or urban convention for these territories is simply not feasible. A restoration approach would certainly be an unspecific, insensitive and an unaffordable operation, lacking in temporality. A masterplanning approach for the intervention, or some kind of cold handed zoning plan is unrealistic. This would also rob the future users of their territories of potential and imagination.

We must learn to see beauty in uncertainty and the unpredictable and we must learn to design with a sense of time. Above all we must learn to reveal beauty in the ugly.

"It seems that when they made up the laws for mining reclamation they wanted to put back the mines the way they were before they mined them. Now that's a real Humpty Dumpty way of doing things. you can imagine the result when they try to deal with the Bingham pit in Utah which is a pit one mile deep and three miles across. Now the idea of the law being so general and not really dealing with a specific site like that seems unfortunate." [13]

Before projecting anything, we might attempt to understand the complexities of a given situation, sniff it out like a dog, watch it like an eagle, sense it like a bat. Half the intervention is hidden in imaginative research and extensive recordings of the physicality of a site. it is essential to work with what is there, to strengthen this potential. It is by revealing a view, creating astonishment about an existing condition such as a geological phenomenon or a topography resulting from an industrial process, creating a sense of excitement when exposing ourselves to existing dangers protected by new safeties, becoming a poet of pollution.

I believe strongly in doing almost nothing. It is a necessity. One must use the extremely limited resources and possibilities for intervention given to the designer, by considering one's actions as laying a seed, creating a catalyst, or beginning of a process of which one can only partially predict the result.

Mies believed in doing almost nothing. There is an aesthetic economy, the aim of elegance, doing little with good things. One must have a deep understanding of the tectonic potential of a material, using it to draw attention to the complexities

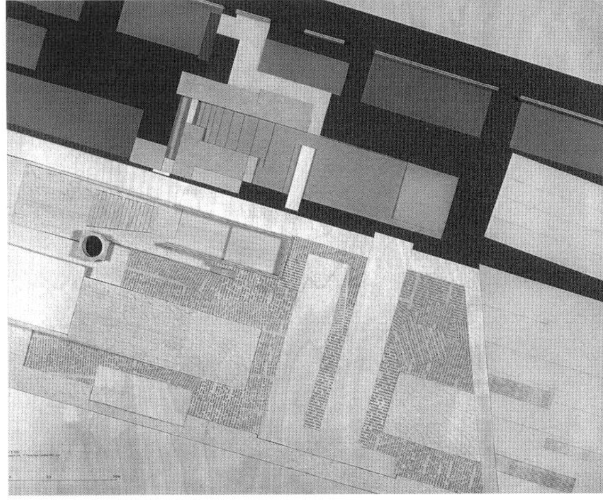

F. Beigel
Reutilización de la Witznitz Brikettfabrik, maqueta de análisis del terreno. Maqueta: Dan Jones.
Post-use of the Witznitz Brikettfabrik, model study of grounds. Model: Dan Jones

El jardín de minas acepta la incertidumbre del uso; no se ha proyectado para satisfacer un programa concreto. Casi podríamos decir que disfruta con su relativa inutilidad. Este espacio se caracteriza por su especificidad en relación al contexto y al lugar donde se ubica, y por los materiales con que está construido. Es indeterminado respecto a un conjunto de usos predeterminados. Se ha concebido para aceptar cambios de usos a través del tiempo y crea las bases para la tolerancia y la receptividad respecto a un futuro incierto. La propuesta explora la idea de la metamorfosis a través del tiempo: desde alfombras de paisaje (como nos gusta denominar esos campos) hasta alfombras construidas o tapices de casas, edificios comerciales y edificios industriales con nuevos programas. Los campos pueden considerarse infraestructuras del paisaje, necesarias para promover la construcción de nuevos edificios en el futuro.

No hacer casi nada

Todos estos proyectos pretenden crear nuevos paisajes. Todos se originan a partir de terrenos residuales de distintas clases: grietas urbanas, territorios de infraestructuras en desuso, suelo industrial abandonado, satélites en transición, antiguas excavaciones abandonadas en espacios abiertos. Estas situaciones comparten en mayor o menor grado un enigma aterrador, a veces una condición salvaje, natural y artificial, que exige respeto y protección. Son paisajes de transición, relojes del paisaje. El pasado es presente, y a medida que el futuro se acerca y adquiere dimensiones mayores, se percibe una presencia magnífica y silenciosa, una especie de agujero en la tormenta.

¿Cuál debería ser nuestra intervención? En esta clase de territorios, recuperar un estado natural o dotarlos de una convención urbana no es factible. Enfocarlo como una restauración implicaría una actuación inconcreta, poco receptiva, inabarcable, falta de temporalidad.

Enfocar la intervención como un plan general o una especie de plan de zonificación sería poco realista y usurparía a los futuros usuarios el potencial y la imaginación de estos territorios.

Tenemos que aprender a descubrir belleza en la incertidumbre, en lo impredictible. Tenemos que aprender a proyectar o urbanizar con un sentido del tiempo. Y por encima de todo, tenemos que aprender a revelar la belleza de lo feo.

"Parece que cuando se hicieron las leyes de reforma de la minería, se pretendía dejar los terrenos donde se ubicaban las minas tal como eran antes de excavarlos. Es una manera muy extraña de hacer las cosas. Podemos imaginar el resultado en el caso de las grandes minas de cobre de Bingham, Utah, que tienen aproximadamente un kilómetro y medio de profundidad y casi cinco de anchura. Actualmente, una ley tan general, incapaz de ofrecer soluciones a cada entorno específico, parece poco afortunada." [13]

Antes de proyectar una obra, hay que intentar entender la complejida de una situación determinada, olisquearla como lo haría un perro, escudriñarla como un águila, percibirla como un murciélago. Parte de la intervención consiste en una investigación imaginativa y en registros extensivos de la condición física de un lugar. Es esencial trabajar con lo que hay allí, para consolidar su potencial. Revelar una vista, sorprender gracias a una condición existente, como un fenómeno geológico o una topografía derivada de un proceso industrial, crear excitación al exponernos a los peligros existentes protegidos por nuevas seguridades, convertirnos en poetas de la contaminación.

Maquinaria de excavación en la mina de carbón abierta, Leizpzig Südraum
Excavation machinery in open coal mine, Leipzig Südraum. Photo Philip Christou

and inherent beauties of the everyday external conditions, such as the changing appearance of the surrounding city through day and night, at different seasons, by reflection and transparency.

Carl Andre's strategy of horizontality is an example of doing almost nothing.

"I don't like works of art which are terribly conspicuous. I like works of art which are invisible if you are not looking for them."

"My idea of a piece of sculpture is a road. That is, a road does not reveal itself at any particular point or from any particular point. Roads appear and disappear, we either have to travel on them or besides them. But we don't have a single point of view for a road at all, except a moving one, moving along it." [14]

Andre's works reveal an existing space by giving it a new ground and in this way make a sense of place. You can experience the relative physicality of this ground by direct contact with it and you can meet other people on it. He achieves a lot with very little.

"Place is something special, something we can detect as both a place of special attention or cultivation. Place also makes apparent the relation to places around it - the whole sense of place." [15]

We are very inspired by the way Agnes Martin is building up one of her paintings, like a field. It is a field built in layers. Each layer has a strong materiality of its own and each remains visible behind and in front of the other. There is first the base layer that has a material character of its own, extending to the edge of the field and so implying a kind of existence beyond the edge. On top, she builds a liquid layer transparent enough for the base material to come through, leaving a margin at the edge. The margin is not the same on all four sides, implying a shifting between the two layers, thus heightening their independence from each other. The liquid layer speaks about itself by varying densities of pigments floating in the liquid medium. On top is a regular cultivation of ink dashes. They are hand drawn along a straight edge, each displaying slight variations of interval and pressure on the pen. There is tension in this layer. The ink of each dash is slightly seeping beyond the course of application. The layer looks very dry in comparison with the liquid layer underneath.

The painting has attractions from three distances: close up to reveal the materiality of the layers; middle distance to reveal the nature of each layer and their relationships to each other, and the tension between the linearity, homogeneity and the square; and a 5 metre distance to reveal an enigmatic transparency. The colours are full of wonder. You cannot escape an almost unbelievable happiness of imagination.

Carl André
First Six Primes, Düsseldorf, 1991
First Six Primes, Düsseldorf, 1991, steel.

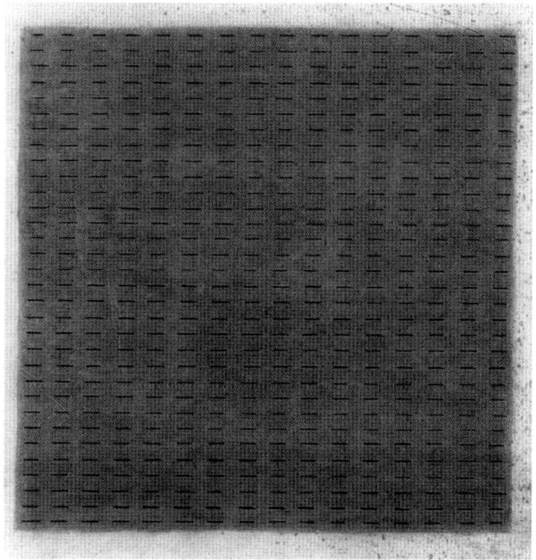

Creo firmemente en la mínima intervención. Es una necesidad. Hay que utilizar los recursos, extremadamente limitados, y las posibilidades de intervención que el urbanista tiene a mano, considerando que las propias acciones consisten en plantar una simiente, crear un catalizador, o iniciar un proceso cuyos resultados sólo pueden predecirse parcialmente.
Mies van der Rohe creía en la mínima intervención. Hay una economía estética, un objetivo de elegancia, intervenir muy poco y bien. Hay que conocer profundamente el potencial tectónico de un material, y utilizarlo para atraer la atención hacia la complejidad y la belleza inherente de las condiciones externas cotidianas, como la apariencia cambiante de la ciudad de los alrededores durante el día y la noche, en distintas estaciones del año, a causa del reflejo y la transparencia.
La estrategia de horizontalidad de Carl André es un ejemplo de intervención mínima.
"No me gustan las obras de arte demasiado evidentes. Me gustan las obras de arte que son invisibles mientras no las contemples."
"Mi idea de una pieza escultórica es una carretera. Una carretera no se revela en ningún punto concreto ni desde ningún punto en concreto. Las carreteras aparecen y desaparecen, viajamos por ellas o las pasamos de largo. Pero no tenemos un solo punto de vista para mirar una carretera, sino un punto móvil, que la recorre." [14]
Las obras de André revelan un espacio existente ofreciendo un nuevo terreno, y transmiten un sentido de lugar. Se puede experimentar la condición física relativa de ese terreno mediante el contacto directo, y también se puede encontrar otra gente en él. Logra mucho con muy poco.
"El lugar es algo muy especial, que podemos detectar como un espacio de atención especial o de cultivo. El lugar también hace visible la relación que establece con otros lugares de alrededor; el sentido integral de lugar." [15]
La forma en que Agnes Martin construye una de sus pinturas, como un campo, nos sirve de inspiración. Es un campo creado a base de capas. Cada capa posee una fuerte materialidad propia y todas son visibles unas frente a otras. Primero está la capa básica, con su carácter material propio, que se extiende hasta el límite del campo, y en cierta manera, implica una existencia más allá del límite. En la parte superior, construye una capa líquida y lo bastante transparente para revelar el material de la base, dejando un margen al borde. El margen no es el mismo en los cuatro lados, insinuando un desplazamiento entre las dos capas e intensificando su independencia mutua. La capa líquida habla por sí misma, variando las densidades de pigmentos que flotan en el medio líquido, Encima hay un cultivo regular de trazos de tinta. Están hechos a mano, a lo largo de un borde recto, dibujando leves variaciones de intervalos y presión de la pluma. En esta capa se percibe la tensión. La tinta de los trazos se corre ligeramente más allá de su curso. En conjunto, esta capa parece muy seca comparada con la capa líquida que queda justo debajo.
La pintura puede contemplarse desde tres distancias: de cerca, en un primer plano, para revelar la materialidad de las capas; a media distancia, para revelar la naturaleza de cada capa, sus relaciones con las demás y la tensión que se crea entre la linealidad, la homogeneidad y el cuadrado; y una distancia de cinco metros, para revelar una transparencia enigmática. Los colores son maravillosos.
No podemos evitar la felicidad casi increíble producida por la imaginación.

Agnes Martin
Sin título (1963), acuarela y tinta sobre papel,
22,9 x 22,9 cm.
Untitled, 1963, watercolour and ink on paper, 22.9 x 22.9 cm.

1. SEGAL, Walter, 'Beyond Utility, Architecture and the Id', first published 1. SEGAL, Walter, 'Beyond Utility, Architecture and the Id', first published in The Architect, 3.71, republished in Architects' Journal, 4.5.88, p. 73.
2. TAUT, Bruno, 'Japan's Architectural Wonder of the World', Nippon 2, 1935, pp. 2-4.
3. WILLET, John, The Theatre of Bertolt Brecht, A study from eight aspects, Methuen & Co. Ltd. London, 1960, p. 171.
4. Ibidem, p. 174.
5. POSENER, Julius, 'Zugang zu Le Corbusier', Bauwelt, no. 38/39, 1987, p. 1423, special issue on Le Corbusier.
6. GERSTER, Georg, Amber Waves of Grain, Harper, Weldon. Owen in assoc. with the American Farmland Trust, New York, 1990, p. 231.Walt Witman is quoted in the essay 'Farmer as Artist - Artist as Farmer', by Joyce Diamanti, speaking about the photographs of Georg Gerster.
7. SMITHSON, Robert, 'Frederick Law Olmsted and the Dialectical Landscape', The Writings of Robert Smithson, New York University Press, New York, 1979, p. 122.
8. SCHAROUN, Hans, 'Berlin is Planning - First Report', lecture given 5 Sept. 1946, Hans Scharoun, Bauten, Entwurfe, Texte, edited by PFANKUCH, Peter, Gebr. Mann Verlag, Berlin, 1974, p. 158. See also a more complete essay about this topic, in: 'Exteriors into Interiors, Hans Scharoun's Idea of Stadtlandschaften', Korean Architects, no. 141, May 1996, pp. 118-125.
9. Ibidem, Competition Design Report, Hauptstadt Berlin, 1957/8, pp. 257-260.
10. 'strawberry fields', 1995, is a project by Dan Jones, who was an architectural design student at the University of North London, tutored by Florian Beigel and Philip Christou.
11. 'nara mats', 1992, is a competition design entry by Florian Beigel and the Architecture Research Unit, for the Nara Convention Hall International Design Competition in Nara, Japan. The competition design team consisted of: Florian Beigel, Kim Jong Kyu, Philip Christou, and Robert Wills. It was awarded 6th place in the open first stage of over 600 international entries.
12. The project Post-use of the Witznitz Brikketfabrik, 1996-97, is a 1st prize competition design project by Florian Beigel and the Architecture Research Unit, for a two stage international landscape and urban regeneration design competition, for the site of a former Brikettfabrik at Witznitz near Borna in the region south of Leipzig, Germany. (This project is displayed in the exhibition, and a short project description is also included in this catalogue.)
13. SMITHSON, Robert, 'Entropy Made Visible', The Writings of Robert Smithson, New York University Press, New York, 1979, p. 194.
14. ANDRE, Carl, Carl Andre Sculptor 1996, 'An Interview with Carl Andre, Phyllis Tuchman, Oktagon Verlag, Stuttgart, 1996, pp. 47-48.
15. HASKELL, Barbara, Agnes Martin, Whitney Museum of American Art, New York, second printing 1994, p. 53.

Illustrations with kind permission from the following sources:
3. Georg Gerster, Grand Design, the earth from above, Intercontinental Publ. Corp. Hong Kong, 1976.
4.5 Hans Scharoun, Bauten, Entwurfwe, Text, edited by PFANKUCH, Peter, Gebr. Mann Verlag, Berlin, 1974, p.. 85, 344.
14. ANDRÉ, Carl. Carl Andre Sculptor 1966. Oktagon Verlag, Stuttgart, 1996, p. 85, 344.
15. HASKELL, Barbara. Agnes Martin Nova York: Whitney Museum of American Art, 1994, p. 53.

1. SEGAL, Walter. "Beyond Utility, Architecture and the Id", publicado originalmente en The Architect, marzo de 1971, reproducido en Architects' Journal, 4de Junio de 1988, p. 73.
2. TAUT, Bruno. Japan's Architectural Wonder of the World, Nippon 2, 1935, pp. 2-4.
3. Willet, John. The Theatre of Bertold Brecht, A study from eight aspects, Methuen & Co. Ltd., Londres, 1960, p. 171.
4. Íbid., p. 174.
5. POSENER, Julius, "Zugang zu Le Corbusier", Bauwelt nº 38/39, 1987, p. 1423, número especial dedicado a Le Corbusier.
6. GERSTER, Georg, Amber Waves of Grain, Harper Weldon Owen y American Farmland Trust, Nueva York, 1990, p. 231. Walt Witman aparece citado en el artículo "Farmer as Artist - Artist as Farmer", de Joyce Diamanti, hablando de las fotografías de Georg Gerster.
7. SMITHSON, Robert. "Frederick Law Olmsted and the Dialectical Landscape", The Writings of Robert Smithson, New York University Press, New York 1979, p. 122.
8. SCHAROUN, Hans. "Berlin is Planning - First Report", conferencia pronunciada el 5 de septiembre de 1946, Hans Scharoun, Bauten, Entwurfe, Texte, en edición de PFANKUCH, Peter Berlín: Gebr. Mann Verlag, 1974, p. 158. Véase también "Exteriors into Interiors, Hans Scharoun's Idea of Stadlandschaften", Korean Architects, nº 141, mayo 1996, pp. 118-125.
9. Íbid. Competition Design Report, Hauptstadt Berlin, 1957-1958, pp. 257-260.
10. "Straberry Fields" (1995) era un proyecto de Dan Jones, que fue estudiante de urbanismo en la University of North London, bajo la tutoría de Florian Beigel y Philip Christou.
11. "Nara Mats" (1992) fue una aportación de Florian Beigel y la Architecture Research Unit al concurso de urbanismo de la Nara Convention Hall International Design Competition, en Nara (Japón) El equipo estaba compuesto por: Florian Beigel, Kim Jong Kyu, Philip Christou y Robert Wills. Obtuvo el sexto lugar en la primera fase, compitiendo con unas 600 aportaciones internacionales.
12. "Un paisaje arquitectónico de campos de actividad" (1996-1997) fue el proyecto que obtuvo el primer premio del concurso de urbanismo, obra de Florian Beigel y la Architecture Research Unit, para un paisaje internacional en dos fases y un proyecto de regeneración urbana aplicado al terreno de una antigua Brikettfabrik de Wiznitz, cerca de Borna, en la región sur de Leizpzig (Este proyecto se incluye en la exposición, y el catálogo reproduce una breve descripción del proyecto).
13. SMITHSON, Robert. "Entropy Made Visible", The Writings of Robert Smithson (New York University Press, Nueva York, 1979): 194.
14. ANDRÉ, Carl. Carl André Sculptor 1996, "An Interview with Carl André", de Tuchman, Phyllis.(Oktagon Verlag, Stuttgart, 1996): 47-48.
15 Haskell, Barbara. Agnes Martin (Whitney Museum of American Art, Nueva York, 1994 2ª de.): 53.

Ilustraciones reproducidas por gentileza de las siguientes personas e instituciones:
3. GEORG, Gerster, Grand Design, the Earth from Above, Intercontinental Publ. Corp., Hong Kong, 1976.
4.5 Hans Scharoun, Bauten, Entwurfwe, Texto, edición de PFANKUCH, Peter, Gebr. Mann Verlag, Berlín, 1974, págs. 85, 344.
14. ANDRÉ, Carl. Carl Andre Sculptor 1966. Oktagon Verlag, Stuttgart, 1996, págs. 85, 344.
15. HASKELL, Barbara. Agnes Martin Nova York: Whitney Museum of American Art, 1994, pág. 53.

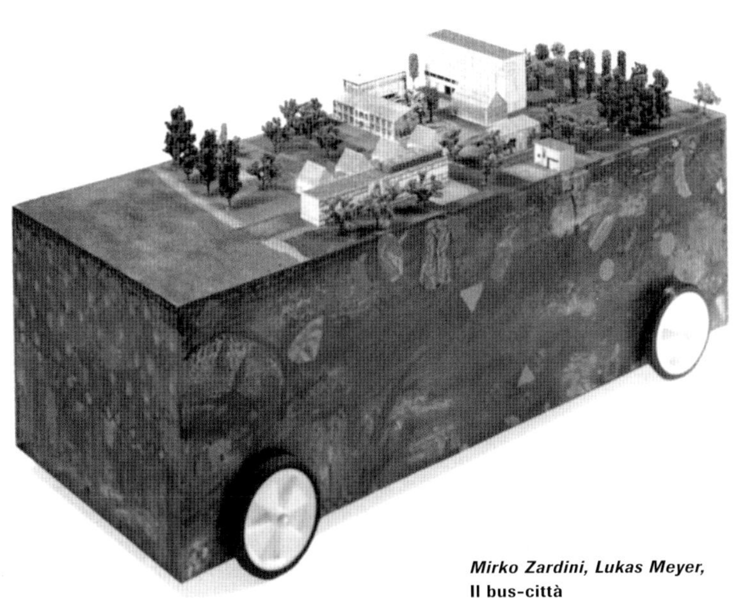

Mirko Zardini, Lukas Meyer,
Il bus-città

La preponderancia del paisaje

MIRKO ZARDINI

Al igual que hace veinte o treinta años, hoy tenemos que volver a partir de la ciudad. De hecho, hoy en día la ciudad contemporánea constituye el único patrimonio común, el material a partir del cual podemos iniciar una nueva reflexión sobre la arquitectura capaz de restituir una renovada capacidad de comprensión y de intervención sobre la realidad.

Sin embargo, la ciudad de la que hablamos es muy distinta de la que concebimos, describimos y proyectamos hace tan sólo veinte o treinta años. Con la palabra ciudad indicamos, de hecho, todo el territorio urbanizado. En este territorio nos encontramos con un repertorio de edificios, calles y espacios que gozan del privilegio de la invisibilidad, a causa de nuestra incapacidad para describir y para comprender.

Se trata de un recurso inmenso que, hasta ahora, hemos descuidado. E incluso muy a menudo lo hemos combatido en nombre de nuestros prejuicios y de nuestras ideas preconcebidas.

Estos prejuicios y estas ideas preconcebidas están relacionados con las palabras que solemos utilizar en el momento de describir la realidad urbana, al definir sus problemas y al proyectar las soluciones.

Para recuperar la capacidad de intervención en la ciudad contemporánea debemos abandonar estos prejuicios, volver a formular los problemas mediante nuevos conceptos y atribuir nuevos significados a las palabras que utilizamos habitualmente. Se trata de inventar nuevas palabras, y esto significa encontrar nuevas maneras de definir la realidad circundante o forzar los límites de las palabras viejas con el mismo objetivo.

De hecho, los significados que hemos atribuido hasta hace poco tiempo a palabras como ciudad, calle, plaza, parque, casa, edificio o monumento, están desapareciendo. Hoy en día, estas palabras se utilizan para indicar realidades muy diferentes de las de hace diez o veinte años. La palabra ciudad define actualmente un territorio urbanizado donde la ciudad histórica constituye, cada vez más, una excepción.

La palabra plaza indica un vacío que ha perdido todo carácter público. La idea de habitar, y asimismo la de casa, son hoy en día muy diferentes de las "socialdemócratas" que determinaban las intenciones de los arquitectos hasta hace pocos años. Las ideas de tipo, edificio y espacio urbano se hallan en un punto crítico parecido.

Puesto que nos sentimos seguros siendo prisioneros de nuestra antigua forma de pensar, evitamos cuidadosamente cualquier contacto con estas nuevas realidades, con estos nuevos problemas. Los definimos por medio de las mismas palabras, y con los mismos estereotipos y prejuicios. Esto nos impide comprenderlos y, por lo tanto, volverlos a proyectar. Por ejemplo, hasta ahora hemos considerado que la heterogeneidad, el desorden aparente de la ciudad contemporánea, era uno de sus aspectos negativos, sin comprender que son sólo nuestros prejuicios los que nos llevan a considerar como desorden lo que en realidad es un orden de otro tipo. La heterogeneidad es, al contrario, una de las características específicas, originarias, de la ciudad contemporánea, y una de sus cualidades, que nos ofrece nuevas posibilidades de intervención. Hay que cambiar el punto de vista, renunciar a conceptos ahora consolidados y formular otros nuevos, adecuados a la comprensión del fenómeno. Se trata de adoptar una sensibilidad diferente, basada en el contraste y en la tensión, en la fragmentación y en la discontinuidad, y no ya en una vaga idea de armonía general.

La incapacidad para comprender y aceptar la realidad (las realidades) nos ha llevado a considerar que el plano o el proyecto son los únicos elementos de orden. El deseo de armonía ha llevado así al plano y al proyecto a crecer, a extenderse, a expandirse, a sobreponerse a todo el mundo circundante como si fueran la única manera de establecer un orden comprensible. Este orden se refiere a una idea determinada

The prevalence of the landscape

MIRKO ZARDINI

Today, like twenty or thirty years ago, we have to take the city as our point of departure. These days the contemporary city represents our only common heritage, the starting point for new reflection on architecture which is able to restore its capacity for understanding and taking action on reality.
Yet the city we are dealing with here is very different to the one we conceived, described and planned just twenty or thirty years ago.
In fact, by city we mean the entire developed territory. In this territory we come up against a series of buildings, streets and spaces which enjoy the privilege of being invisible as a result of our inability to describe and understand. It is an immense resource which we have so far ignored, or even frequently fought against in the name of our prejudices and preconceptions. These prejudices and preconceptions are related to the words we tend to use when describing urban reality, defining its problems and planning appropriate solutions.
If we want to recover the ability to intervene in the contemporary city we have to give up these prejudices, reformulate the problems using new concepts and give new meanings to the words we usually use. We have to invent new words, and that means finding new ways of defining the surrounding reality or stretching the existing words to their limits, with the same end in view.
The meanings we have until very recently attributed to words such as city, street, square, park, house, building or monument, are now disappearing. Nowadays we use these words to indicate very different realities to ten or twenty years back. The word city today defines a developed territory where the historical city is increasingly an exception. The word square indicates an empty space which has lost everything that was public about it. The idea of inhabiting, like the idea of house, are very different today to the "social-democratic" ideas which lay behind architects' intentions until just a few years ago. The ideas of type, building and urban space are undergoin a similar crisis.
Given that we feel secure in the prison of our old ways of thinking, we carefully avoid coming into contact with these new realities, with these new problems. We define them using the same tired words, with the same stereotypes and prejudices.
This prevents our understanding them and therefore undertaking a different approach.
To date, for example, we have considered the heterogeneity, the apparent disorder of the contemporary city, as one of its negative aspects, not understanding that it is our prejudices alone which lead us to see as disorder what is, in fact, order of another kind.
Contrary to what we might think, heterogeneity is one of the original specific characteristics of the contemporary city and one of the qualities which presents us with new possibilities for intervention. We have to change our viewpoint, abandon accepted concepts and formulate new ones in keeping with an understanding of the phenomenon. We have to adopt a different sensibility, based on contrast and tension, on fragmentation and discontinuity, not on a vague idea of general harmony.
Our inability to understand and accept reality (realities) leads us to see the plan or the project as the only elements of order.
Our desire for harmony has allowed the plan and the project to grow, spread, expand, superimpose themselves on the entire surrounding world as though they were the only ways of establishing a comprehensible order. This order refers to a specific idea of rationality: the rationality of what is modern.

Robert Mangurian, Mary-Ann Ray
Plan for St. Louis' Grand Centre

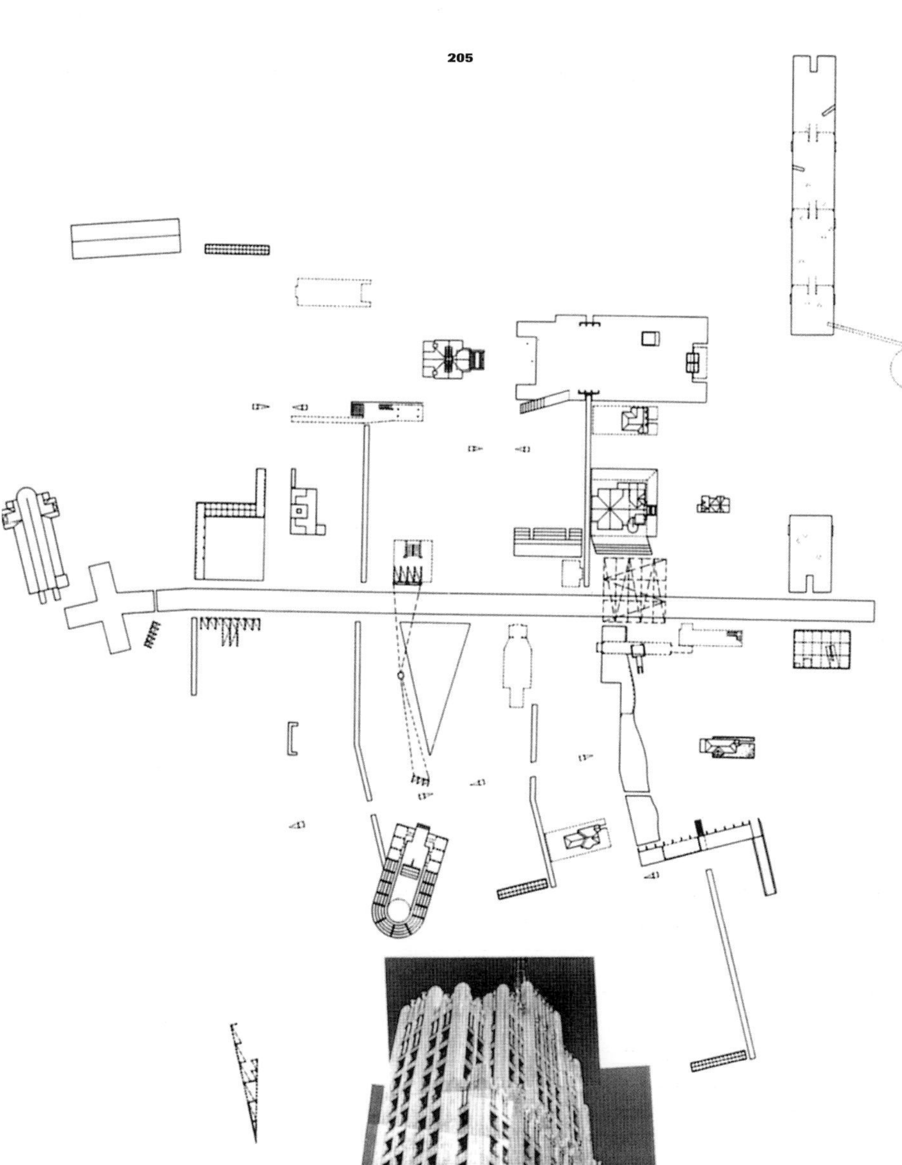

The concept of the picturesque, unlike the concept of harmony, allows us a better understanding of the contemporary city, which is increasingly characterized by the preponderance of various individual, singular elements, the various strata, the various systems, the various segments, the various fragments. We should not take the term picturesque to mean something bright and colourful, pleasantly jumbled up and irregular, but more as an attitude which helps us to accept as positive values what we have hitherto considered negative aspects of the contemporary city: heterogeneity, irregularity, the extraordinary, the intricate, an excess of variety, disorder, dispersion, indetermination.

Thanks to this shift in perspective, we can recognise these characteristics as a new resource at our disposal and establish new strategies with which to define the contemporary urban landscape.

Furthermore, this new viewpoint, this new conceptualization of the contemporary city, means that rather than each element, each building, what attracts our attention is now the system of relations between various elements. Nonetheless, the system of relationships, of stratification, cannot yet be perceived as a unitary one. It is a question of recognising the different systems which are superposed, produce interferences and superimpositions and overrule the precision of relationships in favour of distortion and ambiguity. Approximation replaces precision, nuance replaces clarity, imprecision replaces exact definition as the qualities and characteristics of this new landscape.

The very concept of space, which expresses the physical relationships between the different elements, becomes inadequate. In fact the term space suggests completely abstract qualities, very different from the realistic connotations immediately suggested by the term landscape, for example, which is more expressive of an articulated system of relations, of the meeting of different, superposed wholes, which points up the idea of mixture and provides a better expression of the hybrid nature which characterizes the contemporary metropolis.

Substituting the concept of space for that of landscape therefore implies a qualitative rather than a dimensional change in the interpretation of the phenomena: this points to presence and certain specific characteristics.

The physical dimension, the level of intervention, is no longer a determinant factor: we have to evaluate the intervention by the effects it produces, and there is no longer a direct relation between dimension and effect. The concept of intensity comes to substitute that of dimension. Instead of large scale we have to consider large-scale intensity, which can be produced by a play on contrasts (of scale or characteristics).

The concept of empty space is also shown to be completely insufficient. The idea of empty space brings a single reductionistic classification to many and varied types of spaces (or, rather, landscapes): public spaces, open spaces in the old city, open spaces on the outskirts or vast industrial areas in the process of abandonment (urban empty spaces). What is more, the word empty, like the term space, has an absolute value: it points up the element in itself, in isolation from the dense system of relationships in which it is set, and invalidates its characteristics and its specific nature.

Eduard Bru
Área olímpica de la Vall d'Hebron,
Vall d'Hebron's Olympic Area,
photo Giovanni Chiaramonte

de racionalidad, la racionalidad de lo moderno. El concepto de lo pintoresco nos permite, al contrario del concepto de armonía, comprender mejor una ciudad contemporánea, caracterizada cada vez más por la preponderancia de las características de individualidad y de singularidad de los diversos elementos, de los diversos estratos, de los diversos sistemas, de los diversos segmentos, de los diversos fragmentos.
No debemos entender el término pintoresco como algo vivaz y coloreado, agradablemente desordenado e irregular, sino más bien como una actitud que nos lleva a aceptar como valores positivos aquello que hasta ayer considerábamos aspectos negativos de la ciudad contemporánea: la heterogeneidad, la irregularidad, lo insólito, lo intrincado, la variedad excesiva, el desorden, la falta de armonía, la proximidad incongruente de trozos diferentes, la fragmentación, la dispersión, la indeterminación. Gracias a este cambio de perspectiva, estamos en condiciones de reconocer estas características como un nuevo recurso disponible y podemos establecer nuevas estrategias para la definición del paisaje urbano contemporáneo.
Además, como consecuencia de este nuevo punto de vista y de esta nueva conceptualización de la ciudad contemporánea, ya no es cada elemento, cada edificio, lo que atrae nuestra atención, sino más bien el sistema de relaciones entre los diversos elementos. No obstante, el sistema de relaciones, y el de las estratificaciones, todavía no pueden ser pensados como un sistema unitario. Se trata, en cambio, de reconocer los diferentes sistemas que se superponen, que provocan interferencias y superposiciones, y que anulan la precisión de las relaciones en favor de la distorsión y de la ambigüedad. No la precisión, sino la aproximación; no la nitidez, sino el matiz; no la definición exacta, sino la imprecisión, son las cualidades y las características de este nuevo paisaje.
El concepto mismo de espacio, que expresa las relaciones físicas entre los diferentes elementos, se convierte en inadecuado.
De hecho, el término espacio sugiere cualidades completamente abstractas, muy diferentes de las connotaciones realistas fácilmente referible al término paisaje, por ejemplo, que expresa mejor un sistema articulado de relaciones, de reunión de conjuntos diferentes y superpuestos, que hace resaltar la idea de mescolanza, y que expresa mejor el carácter híbrido que caracteriza la metrópolis contemporánea.
Sustituir el concepto de espacio por el de paisaje no implica, por lo tanto, un cambio dimensional en la lectura de los fenómenos, sino un cambio cualitativo: esto hace resaltar la presencia y las características específicas y concretas.
La dimensión física, el nivel de las intervenciones, ya no constituye el factor determinante: hay que valorar las intervenciones en base a los efectos producidos, y ya no hay relación directa entre la dimensión y el efecto. El concepto de intensidad substituye al de dimensión.
En lugar de gran escala debemos considerar gran intensidad, que se puede obtener por medio del juego de los contrastes (de escala o de características). También el concepto de vacío se nos muestra completamente inadecuado. La idea de vacío incluye, bajo una misma y reductora clasificación, muchos y diversos tipos de espacios (o, mejor dicho, paisajes): espacios públicos, espacios abiertos de la ciudad histórica y de la periferia y vastas áreas industriales en proceso de abandono (los vacíos urbanos). Además, la palabra vacío, igual que el término espacio, tiene un valor absoluto: hace resaltar el elemento por sí mismo, aislándolo del denso sistema de relaciones donde está inserto, y anula sus características y su especificidad.
La idea de vacío ya no se puede utilizar: debemos hablar, más bien, de intersticios; es decir, de intervalos, entre edificios. Y un edificio, a su vez, se puede definir como un intervalo, un intersticio, entre otros dos intersticios.
Como consecuencia, este proceso determina un debilitamiento del valor del edificio. En este juego de relaciones, el edificio

Peter Eisenman, Hanna Olin
Frankfurt Rebstockpark

So the idea of empty space can no longer be used: we have to talk of interstices –that is, gaps– between buildings. And a building can also be defined as an interval, an interstice, between another two interstices.
As a result, this process implies a weakening of the value of the building. In this play on relations, the building acquires a relative value; it is no longer the predominant element, and becomes part of a more complex whole, in which elements hitherto seen as secondary are increasingly present. This process represents a crisis point for the very unity of the building, which loses its integrity and sees some of its parts or elements, such as its facade –or rather, its envelope–, take on completely independent roles and meanings.
The term interstice, just like landscape, makes no reference to scale. This means a new system of relations between buildings. It also proposes a different correlation between exterior space-landscape and interior space-landscape, a correlation where the limit, the distinction between the two aspects, is weakened. It is a unique landscape where the filters, the elements of separation or contact, acquire a new meaning, very different to that of traditional facades. So if we use the word interstice, rather than empty space, it is the empty space between things or inside things that we are referring to. An interstice is a space which cannot in itself be isolated, it takes on its own meaning because it is an interval between different elements, and this is what gives it its qualities. It is based on the concept of distance, that interesting distance (that is, endowed with specific characteristics and qualities) which Manuel de Solà-Morales refers to in his writings and projects.
All these processes of substitution of words and concepts offer viewpoints which may not be new, but which have so far not been used to full advantage, and are useful for a possible transformation of the contemporary city. The introduction of new concepts and points of view also inevitably leads to new intervention strategies. At this juncture, where we waver between the "no more" and the "not yet", rather than seeking the new in invention, we have to look to new senses and meanings in existing elements arising from processes of re-use, hybridization, reassembly. These are the procedures of cut and paste which have been adapted for computer software. These instruments produce new characteristics at the end of the transformation process: the presence of discontinuity, of incongruous approaches and an approximation, an imprecision caused by the proximity of prefabricated materials, ideas, types, images, situations, fragments of an existing reality. There is also a second possible strategy, also taken from analogy with the world of software, a more general strategy, because it relates to all programmes: the virus strategy. In our case, it consists of manipulating the programmes and elements of the contemporary city and injecting viruses into them to modify the processes under way and bring about new, unexpected reactions.
These are strategies which start with the assertion that the means at hand are insufficient. All this also implies reflection on the technical capacity of architecture. In fact, we have to use the deviations, consider the time factor, conduct the artificial and the so-called natural, the interior and exterior landscapes at the same time, and establish a strategic vision of these transformations.
And at present we have the discipline of landscape to provide –for architecture too– the appropriate conceptual and operative instruments for intervention in the contemporary city.

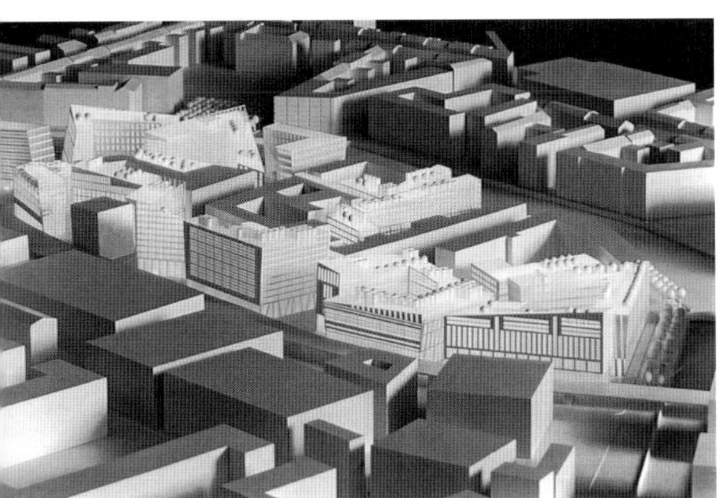

Christoph Langhof
Concurso para Banhof Friedrichstrasse, Berlín
Banhof Friedrichstrasse Competition, Berlin

adquiere, un valor relativo; ya no constituye el elemento predominante, sino que pasa a formar parte de un juego más complejo, donde elementos considerados hasta ahora secundarios adquieren una presencia cada vez mayor.
Este proceso pone en crisis la unidad misma del edificio, que pierde su integridad y ve que algunas de sus partes o elementos, como la fachada, o, mejor dicho, la envoltura, adquieren papeles y significados completamente independientes.
El término intersticio, igual que el término paisaje, no se refiere a la escala. Esto indica un nuevo sistema de relaciones entre los edificios. Propone, además, una correlación diferente entre espacio-paisaje exterior y espacio-paisaje interior, una correlación donde el límite, la distinción entre los dos aspectos, se ha debilitado. Se trata de un paisaje único, donde los filtros, los elementos de separación o de contacto, adquieren un nuevo significado, muy diferente del de las fachadas tradicionales. Por lo tanto, con la palabra intersticio ya no indicamos el vacío, sino el vacío entre las cosas o dentro de las cosas. Un intersticio es un espacio no aislable por sí mismo, sino que adquiere un significado propio por el hecho de ser un intervalo entre elementos diferentes, y de aquí derivan sus cualidades. Se basa en el concepto de distancia, de aquella "distancia interesante" (es decir, dotada de características y cualidades específicas), a la cual se refiere Manuel de Solà-Morales en sus escritos y en sus proyectos. Todos estos procesos de sustitución de palabras y de conceptos proporcionan puntos de vista, ciertamente no nuevos, pero que hasta ahora no han sido utilizados suficientemente, y que son útiles para una posible transformación de la ciudad contemporánea. La introducción de nuevos conceptos y puntos de vista lleva también inevitablemente a nuevas estrategias de intervención. En un momento de interrupción, donde oscilamos entre el "ya no" y el "todavía no", lo nuevo no es buscar entre las invenciones sino, más bien, entre las reatribuciones de sentido y de significado a elementos ya existentes, gracias a procesos de reutilización, de hibridación, de "remontaje". Se trata de procedimientos proporcionados por los instrumentos del Cut i el Paste, *a los cuales se han adaptado muchos programas de* software. *Estos instrumentos producen características nuevas al final del proceso de transformación: la presencia de la discontinuidad, de los acercamientos incongruentes, y una aproximación, una imprecisión causada por la proximidad de materiales prefabricados, de ideas, de tipos, de imágenes, de situaciones, de fragmentos de una realidad ya existente. Además, hay una segunda estrategia posible, también extraída por analogía del mundo del* software, *una estrategia más general, porque está relacionada con todos los programas. Se trata de la estrategia del virus. En nuestro caso, consiste en manipular los programas y los elementos de la ciudad contemporánea y de introducir en su interior virus que modifiquen los procesos en curso y que provoquen reacciones nuevas y inesperadas.*
Son estrategias que parten de la constatación de la insuficiencia de los medios de que se dispone. Todo esto implica también una reflexión sobre las capacidades técnicas de la arquitectura. De hecho, es necesario utilizar las desviaciones, considerar el factor tiempo, administrar al mismo tiempo lo artificial y lo llamado natural, el paisaje interior y el exterior, y establecer una visión estratégica de las transformaciones. Y actualmente disponemos de la disciplina del landscape para proporcionar, también a la arquitectura, los instrumentos conceptuales y operativos adecuados para intervenir en la ciudad contemporánea.

Manuel de Solà-Morales, Concurso para Alexanderpolder, Rotterdam
Alexanderpolder Competition, Rotterdam

Infiltraciones Infiltrations
Proyecto project:
MuBE, Museo brasileño de escultura Brasilian Sculpture Museum
Arquitecto architect:
PAULO MENDES DA ROCHA
Colaboradores collaborators
Alexandre Delijaicov, Carlos Dias, Geni Sugai, Jose de Brito Cruz, Pedro Mendes da Rocha, Rogéiro Machado, Vera Domshke
Fecha date: 1986-1995
Localización location: São Paulo, Brasil

Proyecto project:
Velódromo y Piscina de Berlín Berlin Velodrome and Swimming Hall
Arquitecto architect:
DOMINIQUE PERRAULT
Colaboradores collaborators
Rolf Reichert (Arquitecto/Architect R.P.M.), Hans-Jürgen Schmidt-Schicketanz (Ingeniero-Arquitecto/ Engineer-Architect S.S.P), Ove Arup and Partner London / Berlin
Fecha date:
1992-1997 Velódromo/Velodrome
1992-1998 Piscina/ Swimming Hall
Localización location:
Berlín, Alemania Berlin, Germany

Proyecto project:
Centro de Producción Buenos Aires, Argentina Televisa Color
Buenos Aires Production Center, Argentina Televisa Color
Arquitectos architects:
MANTEOLA, SÁNCHEZ GÓMEZ, SANTOS, SOLSONA, VIÑOLY
Colaboradores collaborators:
Carlos Alberto Sallabery, Felipe Tarsitano
Fecha/date: 1976-1978
Localización/location:
Buenos Aires, Argentina

Proyecto/project:
Los jardines del Grand Axe The Grand Axe gardens
Arquitectos architects:
PAUL CHEMETOV, BORJA HUIDOBRO
Colaboradores collaborators:
Guy Henri, Marc Augé, Gilles Clément, Françoise Divorne, Jean-Louis Husson, Jean-Pierre Vincent, Serge Sobczynski, Jens Metz, Florence Ecart, Rüdiger Hoffmann, Helmut Hutter, Thierry Jourdheuil, Franck Neau, Frabrizzio Piccoli, André Chantalat, Elisabeth Marchetti
Fecha date: 1991
Localización location:
París, Francia Paris, France

Proyecto project:
Encauzamiento del río Guadalhorce Canalization of the Guadalhorce river
Arquitectos architects:
JUAN HERREROS, IÑAKI ÁBALOS
Colaboradores collaborators:
Ángel Borrago, Rajad Hernández, Javier Herreros, Javier Fresneda
Fecha date: 1993-1994
Localización location:
Málaga, España Spain

Proyecto project:
Reutilización de la Witznitz Brikettfabrik/Post-use of the Witznitz Brikettfabrik
Arquitectos architects:
FLORIAN BEIGEL + ARCHITECTURE RESEARCH UNIT
Colaboradores collaborators:
Architecture Research Unit (University of North London), Metropolitan Architecture Research Unit (Seoul), Ove Arup & Partners Consulting Engineers London, Suresh A'Raj, José Aguilar García, Philip Christou, Eamon Cushnahan, Jonathan Hendry, Rex Henry, Dan Jones, Oh Soo In, Kim Yong Kyu, Constantin Meucci, Philip Misselwitz, Ellen Monchen, Susanne Müller, Georgios Vavelos, Yong Ho Shin, Chris Snow, Taro Tsuruta, Sylvia Ullmayer.
Fecha date: 1996
Localización location:
Borna, Alemania/Germany

Proyecto project:
Calle con seis paisajes Street with six landscapes
Despacho office: Formalhaut
Arquitectos architects:
OTTMAR HÖRL, GABRIELA SEIFERT, GÖTZ STÖCKMANN
Colaboradores collaborators:
Edmund Klimek (dibujos/drawings)
Fecha date: 1993
Localización location:
Espacio público del ZKM Public space of the ZKM, Karlsruhe, Alemania/Germany

Proyecto project:
Cinéma Bleu
Despacho office: Formalhaut
Arquitectos architects:
OTTMAR HÖRL, GABRIELA SEIFERT, GÖTZ STÖCKMANN
Fecha date: 1991
Localización location:
Niort, Francia/France

Proyecto project:
Slow House
Arquitectos architects:
ELLIZABETH DILLER, RICARDO SCOFIDIO
Fecha date: 1989
Localización location:
Long Island, Nueva York, EUA New York, USA

Hitos Landmarks
Proyecto project:
Villa Dall'Ava
Despacho office: OMA
Arquitecto architect:
REM KOOLHAAS
Fecha date: 1985-1991
Localización location:
Saint Cloud, París, Francia Paris, France

Proyecto project:
Vivienda unifamiliar Single family house
Arquitecto architect:
VICENTE GUALLART
Fecha date: 1995-1996
Localización location:
Liria, Valencia, España Spain

Proyecto project
Centre de Cultura Contemporània de Barcelona
Arquitectos architects:
ALBERT VIAPLANA, HELIO PIÑÓN
Colaboradores collaborators:
Aurora Fernández Grané, David Viaplana Canudas
Fecha date: 1991-1994
Localización location:
Barcelona, España Spain

Proyecto project:
Arche de La Défense
Arquitecto architect:
JOHAN-OTTO VON SPRECKELSEN
Colaborador collaborator:
Paul Andreu
Fecha date: 1982-1989
Localización location:
París, Francia Paris France

Proyecto project:
MUSEO GUGGENHEIM GUGGENHEIM MUSEUM

Arquitecto architect:
FRANK GEHRY
Colaboradores collaborators:
Randy Jefferson, Vano Haritunians, Douglas Hanson, Edwin Chan, Bob Hale
Fecha date: 1993-1997
Localización location:
Bilbao, España/Spain

Proyecto project:
Palacio de la Ópera y Centro de Congresos Opera House and Congress Centre
Arquitectos architects:
FEDERICO SORIANO, DOLORES PALACIOS
Colaboradores collaborators:
Carlos Arroyo, Alberto Nicolau, Ángel Verdasco, José María Fanlo, Miguel Jareño, Higini Arau.
Fecha date: 1992 (Concurso/Competition) 1995-1998 (Construcción/Construction)
Localización location:
Bilbao, España Spain

Proyecto project:
Ordenación del Área de Abandoibarra Abandoibarra Area
Arquitectos architects:
JUAN HERREROS, IÑAKI ÁBALOS, FRANCISCO MANGADO, CÉSAR AZCÁRATE
Colaboradores collaborators:
Eva Gómez, Juan Lahuerta, David Torres, Carlos Urtailquil
Fecha date: 1993-1994
Localización location:
Bilbao, España/Spain

Proyecto project:
Bibliothèque Nationale
Arquitectos architects:
DOMINIQUE PERRAULT, AUDE PERRAULT, GAËLLE LAURIOT-DIT-PREVOST
Colaboradores collaborators:
D. ALLAIRE, G. CHOUKROUN, Y. CONAN, C. COURSARIS, M. GASPERINI, P. GIL, G. MORRISSEAU
Fecha date: 1989-1995
Localización location:
París, Francia Paris, France

Fronteras Borders

Proyecto project:
Terminal Internacional del transbordador de pasajeros de Yokohama Yokohama International Port Terminal
Arquitectos architects:
FLORIAN BEIGEL *in collaboration with* KISA KAWAKAMI
Colaboradores collaborators:
Suresh A´Raj, Ada Yvars Bravo, Philip Christou, Rex Henry, Kisa Kawakami, Martin Manning, Ove Arup & Partners Engineers.
Fecha date: 1995
Localización location:
Yokohama, Japón Japan

Proyecto project:
Terminal Internacional del transbordador de pasajeros de Yokohama Yokohama International Port Terminal
Despacho office:
Foreign Office Architects Ltd.
Arquitectos architects:
FARSHID MOUSSAVI, ALEJANDRO ZAERA-POLO
Colaboradores collaborators:
Jung-Hyun Hwang, Michael Cosmas, Yoon King Chow, Kazuyo Ninomiya, Ivan Asciano, Guy Westbrook, Kenichi Matsuzawa
Fecha date: 1995-
Localización location:
Yokohama, Japón Japan

Proyecto project:
Centro Multimedia Multi-Media Studio
Arquitectos architects:
KAZUYO SEJIMA, RYUE NISHIZAWA
Colaboradores collaborators
Sasaki Structural Consultants
Fecha/date: 1995-1996
Localización/location:
Oogaki, Japón/Japan

Proyecto project:
Carrasco Square
Despacho office:
West 8 Landscape Architects
Arquitectos architects:
ADRIAAN GEUZE, HUUB JUURLINK, ERWIN BOT, INGE BREUGEM, DIRRY DE BRUIN, KATRIEN PRAK, JORN SCHIEMANN
Fecha date: 1992-1997
Localización location:
Amsterdam, Países Bajos The netherlands

Proyecto project:
Cabina de policía Police box
Arquitecto architect:
KAZUYO SEJIMA
Colaboradores collaborators:
Matsui Gengo + O.R.S. (Ingenieros/Engineers)
Fecha date: 1993-1994
Localización location:
Chofu, Tokio, Japón Japan

Proyecto project:
Viviendas para gente mayor Houses for elderly people
Despacho office:
MVRDV
Arquitectos architects:
WINY MAAS, JACOB VAN RIJS, NATHALIE DE VRIES
Colaboradores collaborators:
WILLEM TIMMER, ARJAN MULDER, FRANS DE WITTE
Fecha date: 1994-1997
Localización location:
Amsterdam-Osdorp, Países Bajos The Netherlands

Projecte project:
Edge of a city, Barres de retenció espaial Spacial retaining bars
Arquitectes architects:
STEVEN HOLL, PETER LYNCH
Col·laboradors collaborators:
P. Copet, B. Frombgen, J. Cross
Data date: 1990
Localització location:
Phoenix, Arizona, EUA USA

Projecte project:
Edge of a city, Gratacels paral·làctics Parallax skyscrapers
Arquitectes architects:
STEVEN HOLL, PETER LYNCH, R. RUTHER
Data date: 1990
Localització location:
Penn Yard, Manhattan, EUA USA

Projecte project:
Barrera contra el vent Wind barrier
Despacho office:
Public Works, Architectural Division
Arquitecte architect:
MAARTEN STRUIJS
Col·laboradors collaborators:
Joop Schilperoord, Frans de Wit
Data date:
1983-1985
Localització location:
Caland Canal, Rotterdam. Països baixos The Netherlands

Paisatges interiors Interior landscapes

Projecte project:
Fondation Cartier
Arquitectes architects:
JEAN NOUVEL, EMMANUEL CATTANI
Col·laboradors collaborators:
Didier Brault, Pierre André Bohnet, Laurence Ininguez, Philippe Mathieu, Viviane Morteau, Guillaume Polet, Steeve Ray, Arnaud Villard, Stéphane Robert, Massimo Quendolo
Data date: 1994
Localització location:
París, França/Paris France

Projecte project:
Mediateca Mediatheque
Arquitecte architect: TOYO ITO
Col·laboradors collaborators:
Sasaki Structural Consultants, ES Associates and Sogo Consultants
Otaki E&M Consultant
Data date: 1995-
Localització location:
Sendai, Miyagi, Japó Japan

Projecte project:
Hospital de Mar
Arquitectes architects:
MANUEL BRULLET, ALBERT DE PINEDA
Col·laboradors collaborators:
Manuel Arguijo, Xavier Llambrich, Jordi Barba, Mateu Barba, Francesc Pernas
Data date: 1989-1992
Localització location:
Barcelona, Espanya Spain

Projecte project:
Biblioteca Pública de Múrcia Murcia Public Library
Arquitecte architect:
JOSÉ MARÍA TORRES NADAL
Col·laboradors collaborators:
Eugenia Rodríguez, Enric Serra, Xavier Rovira, Josep Carreté, Julio Martínez, Luis Fernando Perona, Julio M. Calzón
Data date: 1988-
Localització location:
Murcia, Espanya Spain

Projecte project:
Habitatges Residential housing
Arquitecte architect:
JOSEP LLINÁS
Col.laborador collaborator:
Robert Brufau
Data date: 1992-1995
Localització location:
Barcelona, Espanya Spain

Projecte project:
Dos habitatges sota un sostre Two houses under one roof
Despacho office: MVRDV
Arquitecte architect:
WINY MAAS, JACOB VAN RIJS, *Nathalie de Vries*
Col·laboradors collaborators:
B. Mastenbroek
Data date: 1996-1997
Localització location:
Utrecht, Països Baixos The Netherlands